COLLECTION POÉSIE

PAUL VERLAINE

Fêtes galantes
Romances
sans paroles

PRÉCÉDÉ DE
Poèmes saturniens

Préface et notes
de Jacques Borel

GALLIMARD

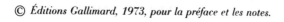

PRÉFACE

Verlaine est sans doute, avec Villon, avec Baudelaire, avec Rimbaud, peut-être aussi Apollinaire, le plus lu de nos poètes, et l'on ne peut s'empêcher de songer au mot de Proust, dans Le Temps *retrouvé, écrivant que la « constante aberration de la critique est telle qu'un écrivain devrait presque préférer être jugé par le grand public (si celui-ci n'était incapable de se rendre compte même de ce qu'un artiste a tenté dans un ordre de recherches qui lui est inconnu). Car il y a plus d'analogie entre la vie instinctive du public et le talent d'un grand écrivain [...] qu'avec le verbiage superficiel et les critères changeants des juges attitrés ». Les « juges attitrés » et, avec eux, étrangement, les artistes, les poètes eux-mêmes, depuis beau temps ont tendance à exiler Verlaine au rang des poètes mineurs, un fade balbutieur de romances, un exquis chanteur, et ce public dont parle Proust, est-ce donc cette image affadie de Verlaine qu'il continue à aimer en lui ou la douteuse légende qui n'en a pas fini, elle non plus, de l'escorter ?*

Absent, Verlaine, d'une anthologie, celle de Thierry Maulnier, dont on peut s'étonner qu'elle ait fait quelque bruit à l'époque[1] ; et par les surréalistes ignoré ou humilié, à l'exception d'Éluard, qui sur Charles Cros non

1. Absent aussi de l'*Anthologie de la Nouvelle Poésie française* parue chez Kra en 1928.

7

plus ne s'est pas trompé, et qui, dans Le meilleur choix de poèmes *est celui que l'on fait pour soi, consacre à Verlaine autant de pages qu'à Mallarmé et à peine moins qu'à Baudelaire, à Lautréamont, à Rimbaud. Comme écrasé, Verlaine, dans le temps si proche encore qui voyait dans la poésie un instrument privilégié de connaissance ou une « explication orphique du mystère du monde », par Rimbaud, par Mallarmé. Légèreté ? Erreur de lecture ? Écarté de ce courant, en passe à son tour d'être rejeté, qui, reconnaissant en Nerval et en Baudelaire ses origines, tendait à faire du songe et du « mystère nocturne » le lieu même et l'objet de son interrogation. Occulté, aujourd'hui, par Mallarmé encore, par Lautréamont. L'interroger paraît bien, pour les nouvelles démarches, sans objet, et si Roman Jakobson le cite un instant dans son étude sur* Spleen de Baudelaire, *ce n'est qu'au prix d'un contresens. On ne voit pas que deux études récentes, celle de Jean-Pierre Richard,* Fadeur de Verlaine, *dans* Poésie et Profondeur, *celle, illuminante et si vite oubliée, d'Octave Nadal :* Paul Verlaine, *parue au* Mercure de France *en 1961, aient rien changé à une scandaleuse méconnaissance. Sans doute s'explique-t-on assez bien tout ce qui a joué et continue de jouer contre Verlaine : nulle théorie chez lui ne préexiste au chant ni ne l'accompagne (chant lui-même, l'Art poétique de 1874, frisson envolé, et Verlaine ne l'énonce ou ne le balbutie que dans le moment précisément où, de la « chanson grise », de l'impressionnisme symbolisant des* Romances sans paroles, *il est sur le point de se détourner pour jamais) ; la poésie n'a pas suivi les chemins qu'il ouvrait ; elle s'est orientée, non vers la mélodie continue, souffle, murmure expiré, vers la durée, mais vers le spatial, vers l'image et la métaphore, avec quelques retours au discours et à la rhétorique congédiés par Verlaine, vers l'éclatement, le discontinu ; éclaté, pulvérisé, le vers lui-même, si bien que, jouant à même la prosodie, l'extraordinaire révolution de l'art verlainien est apparue plus que timide : imperceptible, bientôt dérisoire, « dépassée » (mais le sursaut effaré de Mallarmé : « On a touché au vers ! » ?). Allons, c'est toujours*

8

l'histoire littéraire qui gouverne : Verlaine est sans posté-
rité, et il n'est rien qui pardonne moins. En marge,
singulier et, avec infiniment plus d'art — mais cela aussi
joue contre lui — aussi isolé en fin de compte que
Corbière, aussi « étranger ». Par les surréalistes jugé,
condamné d'avance, et sur la foi, apparemment, des
anthologies : on ne peut comprendre autrement que leur
ait échappé la part la plus étonnante du génie verlainien,
ce rêve éveillé où l'on ne sait plus si l'on dort ou si l'on
rêve, quel obscur courant brasse, isole et dénoue les
objets du monde, entraîne et noie avec eux le rêveur effaré
dans une suite sans fin de dérives et de réveils eux-mêmes
insaisissables et comme en songe, mouvement qui culmi-
nera dans deux poèmes, admirables et relativement peu
connus, de 1873 (réunis, en 1885 seulement, à Jadis et
Naguère*) :* Kaléidoscope *et* Vendanges, *mais dès le début,*
et plus qu'amorcé, il est là ; que pas davantage ils n'aient
perçu, présent dès les premiers recueils et déjà descellant
les formes à la fois — ordre du discours, syntaxe,
prosodie — et les apparences d'un monde démarré et
frappé lui-même d'irréalité, le côté hanté, « blême »,
égaré, « suffocant » de la rêverie verlainienne, tout se
défait, tout se délite, le monde, l'être qui le rêve et se rêve,
quel est le miroir, il est sans tain comme l'eau, quel est le
reflet — qu'on songe, entre autres, à la dernière des
Ariettes *oubliées —, ni ce vertigineux tournoiement qui*
anime, d'un bout à l'autre, les Fêtes galantes, *et qui sans*
cesse, ombres, buées, « vent mauvais » qui souffle, vol
criard de souvenirs-oiseaux ou tourbillon de feuilles
mortes, déporte le rêveur aux confins de l'absence et de la
mort, l'y noie, le happe, le dissout.

Proust dit bien : la « constante aberration de la
critique ». Et ce que l'on peut en effet se demander, c'est
si on a jamais lu Verlaine. *Si ce regard vierge et neuf que*
la critique de son temps a été incapable de porter sur lui
— Sainte-Beuve en tête, comme toujours, dont l'essai de
Proust n'a pas réussi à débarrasser le mythe et qui, lui
aussi, comme Anatole France, comme tous les autres, ne
saura « goûter », des Poèmes saturniens, *que les grandes*
machines ironiquement, comment en douter, démarquées

de Leconte de Lisle — nul depuis ne l'a vraiment osé, vraiment risqué. Toute voix neuve éclate dans un temps gouverné par des modes de penser et de sentir, par des habitudes, par des formes elles-mêmes tyrannisées par une idéologie, et elle est condamnée à être en effet « inouïe » : dans ce sens, il est significatif, non pas peut-être que tous les grands recueils de Verlaine, y compris, en 1885, Jadis et Naguère, aient été publiés à compte d'auteur, mais que tous, malgré quelques articles, et les plus amicaux ne sont pas les moins aveugles, soient passés, sans exception, inaperçus : artistes, critiques, « juges attitrés », tous adonnés aux « jeux anciens » ; la « modernité », c'est du côté du Parnasse qu'elle se cherche, ou dans le réalisme de Coppée, de Mérat (auquel il est vrai que Verlaine se montrera lui-même très attentif, mais c'est pour aussitôt, dans les Paysages belges, dans les pièces des Fêtes galantes où se laissent reconnaître ses motifs, l'entraîner dans une autre aventure) : qui eût pu, dans cette voix « en allée », secrète et vertigineuse, la reconnaître, et avec elle, imperceptiblement et pour jamais, c'étaient les formes mêmes qui bougeaient. Si, Mallarmé, reconnaissant dès les Poèmes saturniens l'effort conscient de Verlaine « vers la sensation rendue » (et c'est déjà, par places, cette « traduction immédiate du senti » qu'exigera un jour Rimbaud), le rejet des « favorites usées », la naissance d' « un métal vierge et neuf » ; Rimbaud, lecteur, dès leur parution, des Fêtes galantes et, dans la lettre fameuse à Paul Demeny du 15 mai 1871, tenant Verlaine, avec Baudelaire, pour un « vrai poète », pour un « voyant ». C'est-à-dire, essentiellement, le texte est là (« Les inventions d'inconnu réclament des formes nouvelles »), pour ce créateur d'une autre langue poétique, que Baudelaire, à ses yeux, n'a pas été (« la forme si vantée en lui est mesquine ») et que Verlaine lui-même, un jour, très tôt, ne saura plus ou n'osera plus être.

Cependant, tout aggrave le malentendu, si épais, et presque si unanime, que la modernité de l'art verlainien aujourd'hui encore en est voilée, et comment, intacte, la faire éclater ou resurgir ? La gloire vient tard à Verlaine, *nourrie de scandale, de légende, de « pittoresque », et quand déjà le poète n'est plus, depuis longtemps, que cet homme de lettres tirant à la ligne pour vivre ou pour survivre et dont Corbière, durement, pourra dire qu'il « écrit sous lui ».* Or, s'il est vrai que Sagesse, *lors de sa publication, en 1881, s'est engouffré, comme tous les recueils précédents, dans le silence, très vite pourtant c'est* Sagesse *que les « juges attitrés » et les autres tiendront pour l'œuvre de génie, l'œuvre inspirée, comme en témoigne le « référendum » saugrenu organisé par* La Plume *au début de 1896 et qui donne 91 suffrages à* Sagesse, *48 aux* Fêtes galantes, *31 à* Romances sans paroles *et à* Amour, *apparemment placés par un jugement aberrant sur le même plan, 27 à* La Bonne Chanson ! *Ce choix même, que l'Université a, dans l'ensemble, longtemps confirmé, est significatif ; nul doute que deux raisons, intimement conjuguées, fond et forme, ne le dictent : « sujet », retour à des formes elles-mêmes rassurantes, c'est toute une idéologie déroutée par les recherches des* Paysages tristes *et des* Ariettes oubliées *— pulvérisation du sujet et démantèlement de l'architecture même du poème, répudiation du discours, congé donné à la part intellectuelle et organisatrice de l'être, primauté du mot-son sur le mot-signe, contact vierge de la sensation, confusion entre le rêveur et le rêvé et cette face périlleuse du songe au bout de tout — qui, dans toute une part de* Sagesse, *se retrouve et respire. Ce qui est dès lors récupéré, c'est la part justement la plus étrangère au génie verlainien : non l'invention d'un univers poétique singulier, conjointe et indissociable métamorphose de la vision et du langage, mais l'air connu, indissociable à son tour de l'idéologie éprouvée qui le fige, le désamorce. Car voici aussi ce qu'il faut dire, ou rappeler : la brûlante effusion, ou l'élan mystique, le vol en Dieu, dont on voudrait croire qu'ils sont à la source de* Sagesse, *se sont en Verlaine taris très tôt ; poétiquement, la conversion, en dépit de quelques sursauts isolés, de loin en loin, s'accompagne d'un retour à peu près définitif aux formes usées que les premiers recueils avaient, précisément, fait éclater : renoué, le fil rompu du* discours, le conceptuel partout, l'allégorique, et le didactisme, théologie, catéchisme, le politique bientôt, suspendent le « grelottement » de l' « âme orpheline », étouffent la « chanson grise », le frisson neuf, à cette « espèce d'œil double » qui faisait ensemble bouger et boiter les formes, voyait « trembloter à travers un jour trouble / L'ariette [...] de toutes lyres », substituent, au monde et dans le langage — où il est caractéristique que l'impair, la « chose envolée » cèdent le pas à l'alexandrin — un ordre reconnaissable. Tout, à nouveau, est en place, et « Les choses qui chantent dans la tête / Alors que la mémoire est absente » en ont fini de faire, vertigineusement, trembler le vers. Sauf dans quelques pièces, groupées presque toutes dans la troisième partie de Sagesse et qui, il importe de le souligner, car les dates de publication sont trompeuses, datent de 1873-1874 et succèdent donc immédiatement aux Romances sans paroles : la chanson de Gaspard Hauser, Un grand sommeil noir..., Le ciel est, par-dessus le toit..., Je ne sais pourquoi..., mais jusqu'à L'espoir luit comme un brin de paille... Le plus tardif de ces poèmes où Verlaine habite encore son souffle le plus nu : L'échelonnement des haies..., a été écrit à Stickney en 1875. Ce que, pour la dernière fois, on surprend dans de tels poèmes, c'est cet impressionnisme symbolisant dont Verlaine a été en effet l'inventeur et que, à demi sous l'influence de Rimbaud sans doute, il a mené, ici et là, dans les Ariettes oubliées, dans les Paysages belges, jusqu'aux confins de l'impersonnel. Vers ces confins, on voit déjà, dès les Poèmes saturniens, plus encore dans le songe spectral des Fêtes galantes, la rêverie verlainienne entraînée. On y surprend aussi, devant sa propre rêverie, l'effarement d'un être en proie au songe — ce n'est pas pour rien, on peut le croire, si Verlaine, en 1889, dans un poème à peu près ignoré de Parallèlement, où il voisine avec d'autres poèmes aussi peu connus et quasi hallucinés, fait une allusion mi-fourbue, mi-nostalgique à Nerval et à sa pendaison rue de la Vieille-Lanterne ; quant aux mots : « La vraie vie est absente », c'est la « Vierge folle », dans Une saison en enfer, qui les prononce, et Rimbaud ne les prend nullement à son

12

compte —, qui se sent par ce songe menacé de dissolution, et ce monde avec lui dont ne surnagent plus que des îlots de sensations isolés et dérivants, rongés, entraînés eux-mêmes ; dès le début, une sorte de dépossession native, de déracinement — ainsi, dans la huitième des Ariettes oubliées, *les chênes flotteront eux-mêmes* « *comme des nuées* », *à elles confondus, démarrés, dénoués,* « *parmi les buées* » ; *les arbres, dans la neuvième, ne seront plus qu'une* « *ombre* », *pareille à* « *de la fumée* », *qui mourra au fond de la* « *rivière embrumée* » —, *la fascination de l'absence et l'effroi de se sentir comme aspiré et bu par un fuligineux ailleurs. Ce mouvement, pour peu qu'on y prenne garde, dès le début aussi contient ou appelle la postulation inverse : si le* Prologue *des* Poèmes saturniens, *consacrant le divorce baudelairien entre* « *action* » *et* « *rêve* », *élit le songe comme la* « *région où vivre* », *les* Vers dorés, *écrits en 1866 et non réunis au recueil, avouent une défiance, un effroi proprement panique du rêve ;* « *le rêveur* », *y lit-on,* « *végète comme un arbre* » *et, au courant menaçant de la rêverie, c'est l'* « *égoïsme de marbre* » *d'un art* « *impassible* » *(ou du dandysme) qui est alors opposé. Ce sera, dans* Sagesse, *dans* Bonheur, *moins la foi peut-être que le dogme ; et, auparavant, le sage récitatif de* La Bonne Chanson, *la poésie-action de* Vaincus, *recueil d'inspiration socialiste qui ne verra jamais le jour mais dont* Jadis et Naguère, *entre autres, accueillera les débris, témoignent, chez Verlaine, de la même obsédante hantise : la norme, la loi, le mariage bourgeois, puis, persistant jusque dans le temps des* Romances sans paroles, *l'action révolutionnaire et le grand jour de l'avenir — ceci encore à rappeler : ce n'est pas Rimbaud, qui adhère à la Commune, c'est Verlaine —, cet avenir a beau, avec* Sagesse, *s'inverser et céder le pas à un* « *Moyen Âge énorme et délicat* », *c'est du même exorcisme qu'il s'agit, et qu'accompagne, chaque fois, à lui lié, le même retour à des formes héritées et sans surprise, presque : le même reniement. Cette* « *âme* » *investie par la buée de la rêverie, qui* « *tremble et s'étonne* » *et qui, elle le sait, elle le dit, dans un des* Poèmes saturniens, « *pour d'affreux naufrages appareille* », *dans le même temps qu'elle paraît à la marée exilante du songe s'abandonner (ou à la fatalité de ce destin que la pièce liminaire des* Poèmes saturniens *croit déchiffrer au front des astres), c'est de certitudes qu'elle est en quête, dans un monde plein, ordonné, signifiant, qu'il lui importe de s'ancrer. Au prix du chant, des* « formes nouvelles », *de l'* « inconnu » *que cette rêverie panique et secrètement combattue lui découvrait.* Les Poèmes saturniens *sont d'un tout jeune homme : Verlaine, en 1866, a vingt-deux ans ; si l'on admet que son chant expire vers 1875-1876, cela aussi, il fallait le dire, son sillage poétique, à peine moins précoce, n'a guère été moins fulgurant non plus que celui de Rimbaud : c'est dans* Poèmes saturniens, *dans* Fêtes galantes, Romances sans paroles, *qu'il faut en lire l'étonnante inscription.*

*

Le « vague des fables » ... *Mais peut-être, avant d'aborder les* Poèmes saturniens, *convient-il de traquer plus loin cette face périlleuse du songe, sans cesse, en eux, dans les* Fêtes galantes, *qui affleure. Verlaine a quatorze ans quand, en décembre 1858, il envoie à Victor Hugo les premiers vers de lui que nous connaissions :* La Mort. *Vers bien conventionnels, assurément, et ils ne vaudraient pas sans doute qu'on s'y arrête, si, à peine tente-t-il de chanter, le visage que heurte le poète n'était précisément celui-là, ce creux, ce visage livide, cette absence ; si n'y apparaissait, dès la seconde strophe, cet adjectif : livide, que les* Poèmes saturniens *inlassablement moduleront en* blême, *en* morne, *en* blafard, *et dont la plâtreuse (ou lunaire) coloration baignera, d'un bout à l'autre, les* Fêtes galantes ; *si, enfin, le dernier poème, trente-sept ans plus tard, écrit quelques semaines à peine avant la fin, en décembre 1895, ne s'intitulait, lui aussi, à la différence près d'un article :* Mort ! *et ne conjuguait en un même mouvement la nostalgie de l'expérience rimbaldienne (dénoncée en 1873 dans* Crimen Amoris, *manquée ou trahie) et la nostalgie de l'action révolutionnaire (elle-*

même manquée, répudiée); si — testament? ultime
sursaut? — l'amoureuse aspiration à la mort n'y réveil-
lait la même horreur panique du rêve où l'âme s'englue et
vacille :

Les Armes ont tu leurs ordres en attendant
De vibrer à nouveau dans des mains admirables
Ou scélérates, et, tristes, le bras pendant,
Nous allons, mal rêveurs, dans le vague des Fables.

Les Armes ont tu leurs ordres qu'on attendait
Même chez les rêveurs mensongers que nous sommes,
Honteux de notre bras qui pendait et tardait,
Et nous allons, désappointés, parmi les hommes.

Armes, vibrez ! mains admirables, prenez-les,
Mains scélérates à défaut des admirables !
Prenez-les donc et faites signe aux En-allés
Dans les fables plus incertaines que les sables.

Tirez du rêve notre exode, voulez-vous ?
Nous mourons d'être ainsi languides, presque infâmes !...

Un « en allé »; dans la septième ariette, en 1872, les
mêmes mots, étouffé, le même cri : « ce piège / D'être
présents bien qu'exilés, / Encore que loin en allés »;
mortel, le rêve que le Prologue des Poèmes saturniens
désignait, en 1866, comme la « région où vivre », mais
que déjà pourtant la pièce liminaire tenait pour secrète
fatalité; éveil « au cœur d'une ville de rêve », « instant à
la fois très vague et très aigu » et de nouveau c'est
l'absence, « sang qui pleure / Alors que notre âme s'est
enfuie » ou bien, dans l' « interminable ennui de la
plaine », ne frémit plus que le grelottement d'un être lui-
même comme aboli, dans cette neige, dans ce sable, non,
ce n'est pas, à aucun moment, le thème romantique de
l'exil que côtoie en Verlaine une rêverie si organique, et
comment l'être trouverait-il aucun appui dans cet isole-
ment des sensations sur quoi il est bien vrai que se fonde
son chant, mais la plus ténue ou la plus « fade », c'est

une déperdition d'être chaque fois qu'elle provoque ou qu'elle aggrave ?

La « *mort délicieuse* » appelée par le dernier poème n'est plus, semble-t-il, la mort chrétienne de *Sagesse*, sens, anti-mort, recours déjà contre l' « *exode* » et le « *vague des fables* ». *Étrange appel, lui-même murmuré comme en rêve, à une mort dont l'étreinte n'apparaît si « délicieuse » que parce qu'elle est souhaitée comme délivrance du rêve (mais, comme un lancinant leitmotiv, dans toute l'œuvre : « Ô mourir de cette mort seulette... »), et de ce rêve elle était elle-même peut-être, dès l'origine, la plus profonde, la plus secrète figure. Car ce poème considérable que nul, à ma connaissance, n'avait, avant Octave Nadal, interrogé, la dernière parole, le dernier souffle, par-delà le gâchis des années et le triste amusement de tant de vides recueils accumulés, ne me paraît pas moins irrécusablement qu'à la première syllabe de* Finnegans Wake *la dernière, que l'écho :* temps à l'adverbe initial de la Recherche du temps perdu, renvoyer à cet autre poème, antérieur aux Poèmes saturniens *et donc à toute l'œuvre verlainienne, puisqu'il est de 1861 (le poète a dix-sept ans) :* Fadaises, *dont il est pour le moins singulier qu'il n'ait pas trouvé place dans les* Poèmes saturniens *justement, où Verlaine a pourtant accueilli, par opportunisme littéraire parfois — ainsi des pastiches de Leconte de Lisle — des pièces infiniment moins insolites et moins neuves ou d'un ton d'évidence moins verlainien. Mélange d'ingénuité et de préciosité railleuse, acide, comme fardée, le ton déjà, et le choix même de certains mots, ce vocabulaire galant et désuet, avec ce passage du* vous *au* tu, *c'est bien vers le vide horizon en trompe l'œil des* Fêtes galantes *qu'ils s'acheminent :*

Daignez souffrir qu'à vos genoux, Madame,
Mon pauvre cœur vous explique sa flamme...

Si vous voulez, Madame et bien-aimée,
Si tu voulais, sous la verte ramée,

Nous en aller, bras dessus, bras dessous,
Dieu ! Quels baisers ! Et quels propos de fous !

À qui pense-t-on que s'adresse ce madrigal, où l'ambiguïté n'apparaît pas d'abord comme telle, puisqu'elle ne se révèle et n'éclate qu'au dernier vers, mais ne cesse d'un bout à l'autre de jouer son jeu inquiet et provocant ? À une Tircis, *une* Clymène, *à une « belle écouteuse » ? Nullement, mais bien à la Mort, ouvertement courtisée, caressée, faite femme, et cette femme coquette de surcroît, désirable et désirée, qui ne feint de repousser que pour mieux provoquer et séduire :*

Et le désir me talonne et me mord,
Car je vous aime, ô Madame la Mort !

Jeu littéraire ? Mais qui joue, et à quoi ? Un jeu aussi, ou l'apparence d'un jeu, tant de pièces des Fêtes galantes, *et c'est sur l'atroce rendez-vous du* Colloque sentimental *que ce jeu s'achève. Attirance et tremblement, une fascination ambiguë, et, sous le sarcasme atténué du maniérisme, on ne peut pas, dans* Fadaises, *ne pas lire l'aveu le moins récusable, et dont toute l'œuvre, jusque par le sursaut si tôt vanné de* Sagesse, *puis l'étrange cycle parodique de* Lunes, *dans* Parallèlement, *va témoigner. Au seuil de cette œuvre,* Paysages tristes des Poèmes saturniens, Fêtes galantes, Ariettes oubliées, *rien ne peut faire qu'il n'y ait cette cour, avance et recul, faite à la Mort, cette rêverie aiguë et charnelle qui la prie, qui l'agace et l'enveloppe, cette « aspiration » que dit un autre poème de jeunesse, ce vertige. Rien ne peut faire que tout le reste, le monde, les êtres, les choses, l'arbre et la rivière, le parc et l'étang, l'aube et le crépuscule, par le même « gris » tous deux brouillés, ne soit frappé désormais d'irréalité, d'inanité, que tout, corps et visages — offerts ? promis ? et nulle main, jamais, dans les* Fêtes galantes, *ne les saisit —, leur apparence ou leur reflet, le paysage lui-même « grêle » et « noyé » où se meuvent, mais de quel pas fantomatique lui aussi, des silhouettes méconnaissables, ne revête cet aspect « blême », lunaire*

17

ou spectral qui fait des fantoches des Fêtes *autant d'ombres illusoires, déjà menacées de se dissoudre, bues et comme happées par l'absence, entraînées par une « fuite » dont* Le Faune *et l'*Amour par terre *précisent en l'accélérant l'affolant tourbillonnement, vers un livide, un innommable ailleurs.*

Qui a jamais pu prendre sérieusement les Fêtes galantes, *et que le XVIIIe siècle fût à la mode n'y change rien, pour une « charmante » illustration de Watteau, ou de Lancret, de Fragonard ? Il suffit de lire : dès le* Clair de lune *liminaire, ce « paysage choisi », si évidemment étranger à toute réalité, n'a pas d'autre lieu que cette « âme » innommée à même laquelle il s'étend et se brouille et qui, elle aussi, à la fin, dans le* Colloque sentimental, *sera, avec tout le reste, irrévocablement « en allée » ; « masques et bergamasques » y chantent en vain « l'amour vainqueur et la vie opportune » : ils n'y peuvent croire ; la vie déjà, avant que rien ne soit, et comment rien dès lors pourrait-il être, a cessé d'être opportune, l'amour saisissable et facile ; s'ils tentent cependant de s'en convaincre, ils le font sur le « mode mineur », et c'est bien le mode même de l'œuvre, d'entrée, qui est donné : murmure, souffle, soupir ; et la fêlure, dans leur chant, la dissonance, le sanglot se sont déjà introduits. Deux fois, dans ces trois frêles strophes, l'adjectif* triste, *dont l'imprévu surgissement est renforcé, à la fin de la première, par la hardiesse de l'enjambement qui le détache, qui le suspend : « et quasi / Tristes sous leurs déguisement fantasques » ; triste, le blafard, l'exsangue clair de lune : déjà les jets d'eau « sanglotent » ; fêlée, blessée l'« extase » ; l'ombre d'un rêve : et les intermittentes apparitions que baignera, de bout en bout, la même vague et trouble lumière par elle aussitôt sont comme effacées à demi et reprises. Le ciel pâlit et s'exténue, l'ombre des arbres trop grêles meurt à son tour ; les personnages les plus fous ne sont plus bientôt que de « molles ombres bleues », dont aucun geste ne s'achève, aucun acte ; leur « propos fous », à peine balbutiés, eux-mêmes sont comme bus, confisqués, évanouis ; aucun n'a l'« air de croire à [son] bonheur » ; et*

18

l' « âme », en ces amants « ingénus », plus loin, les mêmes ou d'autres, qui « tremble et s'étonne », déjà aussi un secret pressentiment l'effare, la détache, la pulvérise. En vain, dans En patinant, « les cinq sens se mettent de la fête », une aspiration à se satisfaire « des baisers superficiels et des sentiments à fleur d'âme » se fait jour : les « âmes surprises » se sentent brusquement « investies ». Cette surprise, cette invasion de l'être atteint et menacé à travers la soudaine défaillance des sens, dès les Poèmes saturniens la Nuit du Walpurgis classique les pressentait ; on y entendait

Des chants voilés de cors lointains, où la tendresse
Des sens étreint l'effroi de l'âme en des accords
Harmonieusement dissonants...

L'effroi, la dissonance, ils sont partout ici. Qu'un rossignol chante, et il a la voix du désespoir. Le rire et la ronde du Faune ne savent que présager « une suite / Mauvaise » aux « mélancoliques pèlerins » à qui toute halte est interdite et dont, modulée en une seule coulée rythmique sans nulle pause, « la fuite / tournoie au son des tambourins ». Le même « vent mauvais » qui, dans la Chanson d'automne des Paysages tristes, roulait et entraînait la feuille morte titubante de l'être, a, dans un poème des Fêtes galantes, « jeté bas l'Amour » ; comme feuilles mortes, « des pensers mélancoliques vont et viennent » dans l'espace vide du rêve ; un « chagrin profond s'avoue », qui ne sait plus évoquer qu'un « avenir solitaire et fatal » : cet avenir du dénuement et de la dépossession, cette nuit creuse et blême où, dans la pièce finale, basculent le passé, les souvenirs et les songes et, démasqués, décolorés, désincarnés, réduits enfin à ce que n'avaient jamais cessé d'être les « Indolents » ajournant une « exquise mort » (la « petite mort » ? c'est possible et, au bout du compte, par une autre rejoints, et la seule), les « donneurs de sérénades » et les « belles écouteuses », Tircis et Aminte, Pierrot et Arlequin, les derniers personnages de la ronde évanouie. C'est dans la cendre et l'absence que s'achève la « fête », — la rêverie ; dans ce parc « glacé », sans couleur, sans lueur, sous le « ciel noir », ce sont bien des spectres, et les moins récusables, aux yeux « morts », aux lèvres « molles », qui se rencontrent et, dans l'instant, se dissolvent; non plus « fardés et peints », masqués par le clair de lune : à leur livide origine retournés, émanation, dès le début, de ce même monde d'apparences corrodées par le demi-jour des branches, la traînée, dans le « soir équivoque » ou sur « l'eau qui tremble », d'un fugace halo, et qui, atteintes, entamées déjà, n'émergeaient que pour se défaire. Tourbillon, effroi, soudain et définitif évanouissement, c'est là, si l'on y prend garde, le mouvement même d'une danse macabre, et, décomposée par le même clair de lune ambigu, la Nuit du Walpurgis classique où, « parmi l'ombre verte des branches », s'entrelaçaient de mêmes « formes toutes blanches » aux gestes pareillement empreints d' « un désespoir profond », où glissaient de mêmes « fébriles fantômes », n'était pas non plus autre chose. Ce profond motif, pas un instant le fard, le masque, les « propos fades » échangés n'avaient réussi à nous le dissimuler.

C'est que, partout, dans le « gris-bleu » des bois, sous le roulis des frondaisons, au cœur même de l'être qui « tremble et s'étonne », entre le poète et le monde s'interpose cette figure pressentie ou reconnue dont la lividité dénature, décolore toutes choses, dans Melancholia (Poèmes saturniens) rend grêle et « fade » l'odeur du réséda, donne à la femme aimée, elle-même à peine émergée des profondeurs blêmes du songe, l'inflexion de voix qui se sont tues et ne semblent parvenir, elles aussi, de ce lointain du blême et de l'absence que pour le manifester et s'y confondre. À toute étreinte tentée se substitue la nostalgie, la hantise, mais aussi la panique d'une autre étreinte, si bien que, dans Luxures encore (Jadis et Naguère), l'exaltation de la « Chair ! ô seul fruit mordu des vergers d'ici-bas » dérive invinciblement vers cette heure au loin « où le rêve étreindra la rêveuse », l'éteindra, la soufflera. (C'est de « tous les appétits vers l'Absence » que parle, significativement, la première version.)

La source même et la fin de la rêverie : que, dans les Paysages tristes *des* Poèmes saturniens, *le regard du poète se pose sur un soleil à l'horizon, et c'est un défilé de fantômes, d'* « *étranges rêves* », *qui surgit ; sur un étang, un* « *fantôme laiteux* », *entre les* « *nénuphars blêmes* », *s'y ensevelit. Voyageur exsangue, le poète s'y mire-t-il, c'est* « *blême* » *encore, et noyé, que, dans la IXe ariette des* Romances sans paroles, *il s'apparaît, comme attiré au fond des eaux* « *embrumées* » *par une forme invisible et inoubliable. La même, comment en douter, que* Fadaises, *en 1861, croyant jouer à demi peut-être, courtisait en tremblant, et partout désormais, accusant le* « *grelottement* » *de l'* « *âme orpheline* », *vacante et dénouée, affleurent, sous la* « *chanson grise* », *rappel, dissonance, écho exténué, ces mots de fiançailles chuchotés dans l'enfance à une oreille absente.*

Cela est si vrai que, jusque dans la part des Romances sans paroles *la plus résolument lavée de tout littoral sentimental, certaines des* Ariettes oubliées, *certains des* Paysages belges, *où l'art se voue à la* « *traduction immédiate du senti* », *où le* « *je* » *s'abolit dans la recherche de l'impersonnel, où le verbe, comme pour mieux limiter la sensation à son sauvage et vierge éclatement, souvent se réduit lui-même au seul verbe* être *(* « *est...* », « *il y a...* », « *sont...* » *), s'insinue soudain le même natif effarement et le même regard hagard de nouveau troue et déchire la* « *chose vue* » *; hanté de nouveau, descellé le monde ; par le même* « *jour trouble* » *brouillé, et c'est le même être suffocant en lui, happé, assailli, qui se sent menacé de se défaire et de se perdre :*

> Quoi donc se sent ?
> L'avoine siffle...

Ou :

> Sites brutaux !
> Oh ! votre haleine,
> Sueur humaine,
> Cris des métaux !

Oui, mais dans ce monde du « cela » (« Cela gazouille », « Cela ressemble au cri doux... »), du « c'est », du « il y a », ou de la disparition complète du verbe, déjà l'on dirait que la confusion sensorielle des éléments n'est là que pour introduire, avec le quoi?, une interrogation sans réponse où déjà perce et grandit, devant le « brutal » vacillement des objets du monde isolés à la fois et comme déracinés par l'assaut bouleversant des sensations, angoisse, recul, un vertigineux affolement :

Quels horizons
De forges rouges !

On sent donc quoi ?
Des gares tonnent,
Les yeux s'étonnent,
Où Charleroi ?

Parfums sinistres !
Qu'est-ce que c'est ?
Quoi bruissait
Comme des sistres ?

Les yeux, et les autres sens — nous le connaissons, ce tourbillon, et c'est le même, dans Chevaux de bois, *qui va reprendre et emporter, « chevaux de leur âme », « l'amante et l'amant » — ne sont pas seuls à s'affoler : hanté, le monde que le poète voulait réduire à sa seule apparence sans cohérence, sans plénitude et sans signification, mais par cela même aussi condamné à n'être que ce vide ou cet « ennui » que dit la VIIIe ariette, cette flottaison vague et vouée à l'errance :*

Dans l'herbe noire
Les Kobolds vont.
Le vent profond
Pleure, on veut croire.

Nul appui ; la même vision imaginante, livrée au glissement et à l'annulation sans fin des sensations, est entraînée dans une même dérive où bascule aussi le monde; détourner les yeux de l' « ennui de la plaine », c'est pour en voir au ciel où flottent, indistinguables, nuages et frondaisons pareillement brouillées des chênes, l'effarante réplique sans repères, pour n'y voir plus, dans les cris des loups, des corneilles, ou c'est la bise, que, « sans lueur aucune », « mourir la lune ».

*

Une telle vision imaginante ne peut desceller les formes du monde sans desceller du même coup les figures d'un langage lui non plus qui ne peut plus être stable, ordonné, signifiant. Métamorphose ou bouleversement, cette invention d'une poétique neuve que Rimbaud, dénonçant la « forme mesquine » de Baudelaire, reconnaît plus qu'implicitement en Verlaine, est à l'œuvre dès les Poèmes saturniens. *Et certes il est très vrai que la primauté accordée au rêve s'accommode, dans le* Prologue, *du discours traditionnel : il n'est pas sûr que, chaussant les mêmes semelles de plomb, l'apparente profession de foi parnassienne de l'*Épilogue *ne soit, par l'exclamation quasi farceuse d'un vers comme : « Est-elle en marbre, ou non, la Vénus de Milo ? », mais non par elle seulement, plus que réduite à rien : déjouée, moquée. Que la charge féroce, notamment, de* Monsieur Prudhomme *ne soit là pour dénoncer en les appuyant jusqu'au grotesque les mécanismes d'un art inauthentique et de la société qui, avec complaisance, s'y reflète, on ne peut, en tout cas, guère en douter. Il est très vrai encore que tout un arrière-plan sentimental, une nostalgie élégiaque sont sans cesse, jusque dans la dislocation « harmonieusement dissonante » de* Melancholia, *tentés d'affleurer*[1] *; que, dans* Paysages tristes, *la double et conjointe continuité de*

---

1. Aussi, très vite, seront-ils prêts à reprendre leur bien et, dans les *Romances sans paroles* même, démentant l'orientation de tout le recueil, verra-t-on le cycle *Birds in the night* renouer plus qu'à demi avec le récitatif de *La Bonne Chanson*.

la modulation et de la métaphore s'essaie à partir des modèles baudelairiens de composition harmonique et que ceux-ci, dans Crépuscule du soir mystique *et jusque dans* Le Rossignol *(mais non dans* Marine, *dans* Chanson d'automne, *dans* L'Heure du berger*) restent presque partout, dans cette part du livre, reconnaissables. Dans ce sens, c'est peut-être au niveau du vocabulaire que, à travers les hésitations d'un recueil si évidemment composite, le caractère irréductible de la rêverie verlainienne est le plus immédiatement saisissable, et cela, dans la mesure même où un art plus conscient de ses pouvoirs et de ses pièges n'en a pas atténué encore la récurrente, l'obsessionnelle germination : si l'œuvre s'inscrit tout entière sous le signe du rêve (et ce rêve sans cesse côtoie le cauchemar ou s'y abîme ; c'est bien d'un mouvement fondamental qu'il s'agit, mais c'est une pente plus secrète, plus allusive qui, dans les œuvres suivantes, l'entraînera), il n'est presque pas de poème où le mot lui-même ne revienne ; presque aucun non plus où n'apparaisse le mot âme, qui jamais ne désertera l'œuvre (que l'on songe à son intrusion, dès le premier poème, dans les Fêtes galantes, à sa fréquence dans les Ariettes oubliées : « Cette âme qui se lamente / En cette plainte dormante... », « Et mon âme et mon cœur en délires / Ne sont plus qu'une espèce d'œil double... », « Ô que nous mêlions, âmes sœurs que nous sommes, / À nos vœux confus la douceur puérile... », repris avec une lancination fourbue dans « Ô triste, triste était mon âme... », arrachant, dans Paysages belges, les chevaux de bois à leurs « galops ronds »), lié déjà, dans Poèmes saturniens, à un intime tremblement, ou grelottement, et déjà aussi (« tel qu'un orphelin pauvre et sans sœur aînée ») comme appelant ou pressentant ces adjectifs de l'esseulement et de l'abandon, « veuve », « orpheline », dans lesquels, taraudée par un grief essentiel, cette « âme » « en peine » et « de passage » lira un jour les signes de son destin. Attesté, par ce vocabulaire, par ces images, l'humus profond d'où sourd la rêverie poétique, mais cet univers vacillant entraîné par le même étrange roulis qui déporte aussi le rêveur est là lui-même, et flottant dans la même

24

glauque lumière, « *jour trouble* », *lune blafarde ou voilée,*
« *masque nocturne* », *qui ne cessera plus, avant l'ordre et
le grand jour de* Sagesse *(saisons, travaux), d'imprégner
l'œuvre. Six fois, dans le bref recueil, reparaît l'adjectif*
blême, *huit fois modulé en* morne, *et dont on peut penser
que les adjectifs* blafard, fuligineux, monotone *même,
mais non moins l'adjectif* fauve, *repris quatre fois, ne sont
que des modulations encore, le mot* fauve *étant significativement prononcé dès la pièce liminaire et, par son
association au* « *signe Saturne* », *colorant du même coup
tout le* « *mystère nocturne* » *à l'exploration duquel se
voue tout ce premier prologue, élection secrètement
effarée déjà de* « *l'Imagination inquiète* », *d'une rêverie
qui se reconnaît dès l'abord par* « *une Influence
maligne* » *infléchie. Si la lune (ou le clair de lune) ne se
rencontre guère que six fois (mais c'est dans* Le Rossignol, *la même* « *splendeur* triste *d'une lune / Se levant
blafarde et solennelle* » *qui n'éclairera que pour les
dissoudre ou les reprendre les cortèges égarés des* Fêtes
galantes*), quatre fois le mot* fantôme, *ailleurs trois fois
modulé en* spectre, *en revanche, je ne crois pas qu'on l'ait
remarqué et cela vaut la peine, pourtant, qu'on y insiste,
onze fois au moins le mot* vent *traverse l'espace disparate
du livre, et c'est d'un* « *vent néfaste* » *toujours, ou
presque toujours, qu'il s'agit. Immédiatement ébranlé,
ainsi, le thème essentiel du tourbillon qui n'en finira plus
de hanter l'œuvre et qui, bouche innommée, souffle,
destin, une première fois et pour jamais dans* Chanson
d'automne « *emporte / Deçà, delà* » *l'être crispé et
démâté, si* « *pareil à la / Feuille morte* » *que, aussi
esseulé, aussi passivement chassé qu'elle, il ne se distin-
gue plus d'elle, il est cela, elle est lui, à son tournoiement
affolé confondu il est lui-même devenu elle. Lié à ce
thème, de lui complémentaire peut-être et non moins
fondamental, un autre thème, celui du roulis, ne cesse pas
non plus d'être lisible d'un bout à l'autre des* Poèmes
saturniens *ni, comme le premier, de tracer dans le reste de
l'œuvre un long sillage. Par ce roulis qui brasse, dès les*
Poèmes saturniens, *non seulement les images de l'eau,
mais celles des feuillages, des frondaisons, et ce seront*

bientôt celles de l'air, celles des corps, l'être se sent menacé de chavirer, de se quitter ou bien, naufrage, noyade, et les choses aussi basculent, de s'engloutir. Bercement ou balancement, la douceur ou l'apaisement que semble parfois, en les mimant, promettre ce roulis, sont trompeurs : le « souffle berceur et doux / Qui vient », dans En sourdine (Fêtes galantes), « rider / Les ondes de gazon roux », ne fond un instant les « âmes », les « cœurs » et les « sens extasiés » que pour, avec le rossignol, ranimer dans les amants la « voix de [leur] désespoir » ; l'étonnante hardiesse qui, dans la première ariette des Romances sans paroles, confond au roulis de l'eau, des cailloux qu'elle agite, au doux cri expiré de l'herbe, le roulis des corps embrassés dans l'amour (ou c'est, dans la seconde des Ariettes oubliées, le balance-ment de l'escarpolette), c'est au même congé de l'âme « qui se lamente », à la même fêlure qu'elle aboutit, si bien que, dans Sagesse encore, à peine le poète parvient-il à désarmer ou à voir « ami » ce même souffle qui « hante / la vague » ; que sa « pensée » s'y identifie à une « mouette à l'essor mélancolique, / À tous les vents du ciel balancée » (mouette ou feuille, l'image, qui ne le voit, dispersion, ballottement, retrouve le motif même de Chanson d'automne), ou bien que, la nostalgie tend-elle à étouffer sous la douceur du bercement la menace latente du roulis, elle ne trouve plus pour s'y raccrocher, sous le « grand sommeil noir » qui l'écrase, que l'image d' « un berceau / Qu'une main balance / Au creux d'un caveau », l'engourdissement ou le grouillant silence de la mort. — Et c'est retrouver aussi cet amortissement protecteur des sensations — mais des sentiments eux-mêmes — dont a si bien parlé Jean-Pierre Richard et dont la nostalgie se déchiffre, dès les Poèmes saturniens, dans la multiplication des adjectifs vague et doux, ou calme, lent, sourd, dans l'élection des teintes feutrées, gris, un vert lui-même éteint — une des rares notes vives, le rouge de la lune dans L'Heure du berger, est aussitôt étouffée par le « brumeux horizon » qui la noie, la désamorce —, dans la prédominance d'éléments comme exténués déjà : brume, ombres, fumées, dans l'amenuisement enfin des *verbes eux-mêmes : trembler, frissonner, bouger, et non pas jamais : briller, mais : luire. Mais c'est bien qu'il s'agit en effet de conjurer — ou d'éloigner, de retarder —, partout à tout moment soupçonnée, en soi et dans un monde où le poète se sent obscurément traqué, épié, une lancinante menace que, disant, récitant encore naïvement l'angoisse, un des* Poèmes saturniens : Dans les bois *(mais il y a aussi, captif du même « dire », L'Angoisse), croit surprendre jusque dans ces « sources vives », « là-bas », qui « font un bruit d'assassins postés se concertant ».*

Autant d'éléments cependant que l'univers poétique de Verlaine a, au moins en partie, en commun avec d'autres, et ce n'est jamais, en fin de compte, sa thématique, ou ses obsessions, ses hantises, qui, seules, décident de la nouveauté ou de la singularité irréductible d'une œuvre. S'il y a bel et bien une « révolution » verlainienne, c'est que Verlaine s'en prend dès l'abord à des formes laissées justement, par Baudelaire, intouchées. Ce qui, avec lui, entreprend de se dénouer — seul, Nerval, mais il faudra près d'un siècle pour s'en apercevoir, avait dans ses profondeurs altéré la mesure même de l'alexandrin —, ce sont les chaînes qui asservissaient le chant, la logique interne du poème à la tyrannie logique du sens, à l'intelligible. Rejetés, pulvérisés, dès les pièces des Poèmes saturniens *qui déjà s'orientent vers le souffle expiré des* Romances sans paroles*, le discours, la structure traditionnelle du « dire », et cela, essentiellement, par la radicale métamorphose introduite par Verlaine dans le traitement du vers, métrique, prosodie, intime dislocation elle-même accordée à une dissonance fondamentale, recherche (dès* Marine*, dès* Soleils couchants*) de l'impair, de l'asymétrie des allitérations et des coupes, abolition ou exténuement du mot-signe sous le mot-son, chevauchement ambigu de la phrase musicale chuchotée en mineur (mais toute une secrète boiterie, suspens, hésitations, au cœur même de la recherche du continu, du « grêle » étalement dans la durée, introduisent à tout moment l'imprévu et les ruptures d'un discontinu dont les* Paysages belges*, notamment, montrent assez qu'ils n'ont pas* cessé d'avoir part au jeu poétique) et de la phrase logique dont il est vrai que Verlaine, s'il l'a désarticulée, humiliée sous le chant, n'est pas allé jusqu'à la détruire ou l'effacer absolument. Pulvérisé, le sujet, dont à peine, par places, dans Melancholia, subsistent encore quelques traces, mais ailleurs, c'est la modernité du « motif » qui frappe et l'exile ; pulvérisés, le « décor-nature » et, aussi bien, le grand jour d'atelier qu'étudient ou feignent d'étudier les compositions postiches de César Borgia ou de La Mort de Philippe II. Il n'est pas, dans les Poèmes saturniens, jusqu'à un poème en apparence aussi anodin qu'Après trois ans où n'éclate, sinon encore, dans sa vide plénitude, l'accent verlainien, l'irrécusable caractère du moins de sa « modernité », et à peine, à la lecture, conçoit-on qu'on a affaire là au thème même, en somme, de Tristesse d'Olympio. Aucun développement, aucune rhétorique, aucun mélange de la description et de la réflexion ou du sentiment. Et même, aucune description. La maison, le jardin ne sont aucunement décrits : les objets qui les évoquent sont isolés, et ils restent isolés dans l'être qui semble ne recevoir d'eux que d'immédiates sensations et déjà lui-même à ce senti, à cet immédiat presque se réduire. « Humide étincelle » du soleil sur les fleurs, « plainte » du tremble, « murmure » du jet d'eau, « palpitation » des roses et des lys balancés, des lieux de l'amour revisités seules ces sensations de la vue, de l'ouïe, vierges et indépendantes, sont rapportées, et la plus grande émotion, ce n'est pas le vocabulaire usé de la langue du cœur qui la communique, mais cette étonnante sensation olfactive qui ne clôt pas tant le poème qu'elle ne le prolonge en une sorte de nausée quasi physique, si bien que cette « odeur fade du réséda » il semble que ce soit à la fois le désespoir et le souvenir mêmes qui l'exhalent, cette intolérable fadeur qui soit souvenir, désespoir. Cela est acquis, définitif, et la suppression du comme vers quoi le comme initial du Rossignol, seul maintenu, n'empêche pas le poème tout entier de s'orienter : arbre au « feuil- lage jaune », le poète, oiseaux, ce « vol criard » de souvenirs, sur lui, qui s'abattent. Brisé, l'antique chaînon qui reliait les deux pôles d'une comparaison devenue du *même coup authentiquement image et accédant dès lors à cette identification absolue qui ne cessera plus de gouverner la poésie moderne, mais c'est presque d'emblée, chez Verlaine, pour se détourner de la notion baudelairienne d'analogie et de correspondance et de son au-delà métaphysique. Un tel art, que déjà aussi par endroits infléchit la résonance paramnésique de* Mon rêve familier, *c'est au tremblement impersonnel et effaré des* Romances sans paroles, Ariettes oubliées, Paysages belges *(mais non moins à la surréalité éblouie de* Beams*) qu'il aboutit : à cette extrême porosité de la rêverie verlainienne qui, dans* L'Interminable Ennui de la plaine, *et presque au même degré dans l'ariette de la pluie, abolit toutes frontières entre le dedans et le dehors (larmes de la pluie et du rêveur, neige-sable, au monde et dans l'être, d'un même fondamental « ennui »), substitue à l'effusion du « je », à la tentation latente de la subjectivité, une parole « en allée » qui est celle presque d'un « on » sans identité et sans support, ne butant plus au monde que sur un « cela » comme accusé à la fois et exténué par une confusion toujours plus accrue des éléments sensoriels : d'où, chez le poète, cet apeurement, ce sentiment décuplé de vacance et de dépossession. D'où, aussi, le désir, presque aussi clairement lisible dans* Birds in the night *qu'il l'était dans* La Bonne Chanson *avec quoi ce cycle renoue comme malgré lui, de lester cette parole « envolée », de l'emplir, de la ramener à soi : Verlaine n'y parviendra, dans* Sagesse, *dans les recueils suivants, qu'au prix de cette parole même. Perdu, le poète, par l'effroi précisément de se perdre.*

Jacques Borel.

Poèmes saturniens

Les Sages d'autrefois, qui valaient bien ceux-ci,
Crurent, et c'est un point encor mal éclairci,
Lire au ciel les bonheurs ainsi que les désastres,
Et que chaque âme était liée à l'un des astres.
(On a beaucoup raillé, sans penser que souvent
Le rire est ridicule autant que décevant,
Cette explication du mystère nocturne.)
Or ceux-là qui sont nés sous le signe SATURNE,
Fauve planète, chère aux nécromanciens,
Ont entre tous, d'après les grimoires anciens,
Bonne part de malheurs et bonne part de bile.
L'Imagination, inquiète et débile,
Vient rendre nul en eux l'effort de la Raison.
Dans leurs veines le sang, subtil comme un poison,
Brûlant comme une lave, et rare, coule et roule
En grésillant leur triste Idéal qui s'écroule.
Tels les Saturniens doivent souffrir et tels
Mourir, — en admettant que nous soyons mortels, —
Leur plan de vie étant dessiné ligne à ligne
Par la logique d'une Influence maligne.

P. V.

PROLOGUE

Dans ces temps fabuleux, les limbes de l'histoire,
Où les fils de Raghû, beaux de fard et de gloire,
Vers la Ganga régnaient leur règne étincelant,
Et, par l'intensité de leur vertu troublant
Les Dieux et les Démons et Bhagavat lui-même,
Augustes, s'élevaient jusqu'au Néant suprême.
Ah ! la terre et la mer et le ciel, purs encor
Et jeunes, qu'arrosait une lumière d'or
Frémissante, entendaient, apaisant leurs murmures
De tonnerres, de flots heurtés, de moissons mûres,
Et retenant le vol obstiné des essaims,
Les Poëtes sacrés chanter les Guerriers saints,
Ce pendant que le ciel et la mer et la terre
Voyaient, — rouges et las de leur travail austère, —
S'incliner, pénitents fauves et timorés,
Les Guerriers saints devant les Poëtes sacrés !
Une connexité grandiosement alme
Liait le Kchatrya serein au Chanteur calme,
Valmiki l'excellent à l'excellent Rama :
Telles sur un étang deux touffes de padma.

— Et sous tes cieux dorés et clairs, Hellas antique,
De Sparte la sévère à la rieuse Attique,
Les Aèdes, Orpheus, Alkaïos, étaient
Encore des héros altiers, et combattaient.
Homéros, s'il n'a pas, lui, manié le glaive,
Fait retentir, clameur immense qui s'élève,

Vos échos jamais las, vastes postérités,
D'Hektôr, et d'Odysseus, et d'Akhilleus chantés.
Les héros à leur tour, après les luttes vastes,
Pieux, sacrifiaient aux neuf Déesses chastes,
Et non moins que de l'art d'Arès furent épris
De l'Art dont une Palme immortelle est le prix,
Akhilleus entre tous ! Et le Laërtiade
Dompta, parole d'or qui charme et persuade,
Les esprits et les cœurs et les âmes toujours,
Ainsi qu'Orpheus domptait les tigres et les ours.

— Plus tard, vers des climats plus rudes, en des ères
Barbares, chez les Francs tumultueux, nos pères,
Est-ce que le Trouvère héroïque n'eut pas
Comme le Preux sa part auguste des combats ?
Est-ce que, Théroldus ayant dit Charlemagne,
Et son neveu Roland resté dans la montagne,
Et le bon Olivier et Turpin au grand cœur,
En beaux couplets et sur un rythme âpre et vainqueur,
Est-ce que, cinquante ans après, dans les batailles,
Les durs Leudes perdant leur sang par vingt entailles,
Ne chantaient pas le chant de geste sans rivaux
De Roland et de ceux qui virent Roncevaux
Et furent de l'énorme et superbe tuerie,
Du temps de l'Empereur à la barbe fleurie ?...

— Aujourd'hui, l'Action et le Rêve ont brisé
Le pacte primitif par les siècles usé,
Et plusieurs ont trouvé funeste ce divorce
De l'Harmonie immense et bleue et de la Force.
La Force, qu'autrefois le Poëte tenait
En bride, blanc cheval ailé qui rayonnait,
La Force, maintenant, la Force, c'est la Bête
Féroce bondissante et folle et toujours prête
À tout carnage, à tout dévastement, à tout
Égorgement, d'un bout du monde à l'autre bout !
L'Action qu'autrefois réglait le chant des lyres,
Trouble, enivrée, en proie aux cent mille délires
Fuligineux d'un siècle en ébullition,
L'Action à présent, — ô pitié ! — l'Action,

C'est l'ouragan, c'est la tempête, c'est la houle
Marine dans la nuit sans étoiles, qui roule
Et déroule parmi les bruits sourds l'effroi vert
Et rouge des éclairs sur le ciel entr'ouvert !

— Cependant, orgueilleux et doux, loin des vacarmes
De la vie et du choc désordonné des armes
Mercenaires, voyez, gravissant les hauteurs
Ineffables, voici le groupe des Chanteurs
Vêtus de blanc, et des lueurs d'apothéoses
Empourprent la fierté sereine de leurs poses :
Tous beaux, tous purs, avec des rayons dans les
    yeux,
Et sous leur front le rêve inachevé des Dieux !
Le monde, que troublait leur parole profonde,
Les exile. A leur tour ils exilent le monde !
C'est qu'ils ont à la fin compris qu'il ne faut plus
Mêler leur note pure aux cris irrésolus
Que va poussant la foule obscène et violente,
Et que l'isolement sied à leur marche lente.
Le Poëte, l'amour du Beau, voilà sa foi,
L'Azur, son étendard, et l'Idéal, sa loi !
Ne lui demandez rien de plus, car ses prunelles,
Où le rayonnement des choses éternelles
A mis des visions qu'il suit avidement,
Ne sauraient s'abaisser une heure seulement
Sur le honteux conflit des besognes vulgaires
Et sur vos vanités plates ; et si naguères
On le vit au milieu des hommes, épousant
Leurs querelles, pleurant avec eux, les poussant
Aux guerres, célébrant l'orgueil des Républiques
Et l'éclat militaire et les splendeurs auliques
Sur la kithare, sur la harpe et sur le luth,
S'il honorait parfois le présent d'un salut
Et daignait consentir à ce rôle de prêtre
D'aimer et de bénir, et s'il voulait bien être
La voix qui rit ou pleure alors qu'on pleure ou rit,
S'il inclinait vers l'âme humaine son esprit,
C'est qu'il se méprenait alors sur l'âme humaine.

— Maintenant, va, mon Livre, où le hasard te mène !

MELANCHOLIA

À Ernest Boutier.

I

RÉSIGNATION

Tout enfant, j'allais rêvant Ko-Hinnor,
Somptuosité persane et papale,
Héliogabale et Sardanapale !

Mon désir créait sous des toits en or,
Parmi les parfums, au son des musiques,
Des harems sans fin, paradis physiques !

Aujourd'hui, plus calme et non moins ardent,
Mais sachant la vie et qu'il faut qu'on plie,
J'ai dû refréner ma belle folie,
Sans me résigner par trop cependant.

Soit ! le grandiose échappe à ma dent,
Mais, fi de l'aimable et fi de la lie !
Et je hais toujours la femme jolie,
La rime assonante et l'ami prudent.

II

NEVERMORE

Souvenir, souvenir, que me veux-tu ? L'automne
Faisait voler la grive à travers l'air atone,
Et le soleil dardait un rayon monotone
Sur le bois jaunissant où la bise détone.

Nous étions seul à seule et marchions en rêvant,
Elle et moi, les cheveux et la pensée au vent.
Soudain, tournant vers moi son regard émouvant :
« Quel fut ton plus beau jour ? » fit sa voix d'or vivant.

Sa voix douce et sonore, au frais timbre angélique.
Un sourire discret lui donna la réplique,
Et je baisai sa main blanche, dévotement.

— Ah ! les premières fleurs, qu'elles sont parfumées !
Et qu'il bruit avec un murmure charmant
Le premier *oui* qui sort de lèvres bien-aimées !

III

APRÈS TROIS ANS

Ayant poussé la porte étroite qui chancelle,
Je me suis promené dans le petit jardin
Qu'éclairait doucement le soleil du matin,
Pailletant chaque fleur d'une humide étincelle.

Rien n'a changé. J'ai tout revu : l'humble tonnelle
De vigne folle avec les chaises de rotin...
Le jet d'eau fait toujours son murmure argentin
Et le vieux tremble sa plainte sempiternelle.

Les roses comme avant palpitent ; comme avant,
Les grands lys orgueilleux se balancent au vent.
Chaque alouette qui va et vient m'est connue.

Même j'ai retrouvé debout la Velléda
Dont le plâtre s'écaille au bout de l'avenue,
— Grêle, parmi l'odeur fade du réséda.

IV

VŒU

Ah ! les oaristys ! les premières maîtresses !
L'or des cheveux, l'azur des yeux, la fleur des chairs,
Et puis, parmi l'odeur des corps jeunes et chers,
La spontanéité craintive des caresses !

Sont-elles assez loin toutes ces allégresses
Et toutes ces candeurs ! Hélas ! toutes devers
Le printemps des regrets ont fui les noirs hivers
De mes ennuis, de mes dégoûts, de mes détresses !

Si que me voilà seul à présent, morne et seul,
Morne et désespéré, plus glacé qu'un aïeul,
Et tel qu'un orphelin pauvre sans sœur aînée.

Ô la femme à l'amour câlin et réchauffant,
Douce, pensive et brune, et jamais étonnée,
Et qui parfois vous baise au front, comme un enfant !

V

LASSITUDE

A batallas de amor campo de pluma.
(Gongora.)

De la douceur, de la douceur, de la douceur !
Calme un peu ces transports fébriles, ma charmante.
Même au fort du déduit parfois, vois-tu, l'amante
Doit avoir l'abandon paisible de la sœur.

Sois langoureuse, fais ta caresse endormante,
Bien égaux tes soupirs et ton regard berceur.
Va, l'étreinte jalouse et le spasme obsesseur
Ne valent pas un long baiser, même qui mente !

Mais dans ton cher cœur d'or, me dis-tu, mon enfant,
La fauve passion va sonnant l'olifant !...
Laisse-la trompeter à son aise, la gueuse !

Mets ton front sur mon front et ta main dans ma main,
Et fais-moi des serments que tu rompras demain,
Et pleurons jusqu'au jour, ô petite fougueuse !

VI

MON RÊVE FAMILIER

Je fais souvent ce rêve étrange et pénétrant
D'une femme inconnue, et que j'aime, et qui m'aime
Et qui n'est, chaque fois, ni tout à fait la même
Ni tout à fait une autre, et m'aime et me comprend.

Car elle me comprend, et mon cœur, transparent
Pour elle seule, hélas! cesse d'être un problème
Pour elle seule, et les moiteurs de mon front blême,
Elle seule les sait rafraîchir, en pleurant.

Est-elle brune, blonde ou rousse? — Je l'ignore.
Son nom? Je me souviens qu'il est doux et sonore
Comme ceux des aimés que la Vie exila.

Son regard est pareil au regard des statues,
Et, pour sa voix, lointaine, et calme, et grave, elle a
L'inflexion des voix chères qui se sont tues.

[handwritten annotations:] l'idéal est impossible à obtenir — la mort? — langage commune

43

VII

À UNE FEMME

À vous ces vers de par la grâce consolante
De vos grands yeux où rit et pleure un rêve doux,
De par votre âme pure et toute bonne, à vous
Ces vers du fond de ma détresse violente.

C'est qu'hélas ! le hideux cauchemar qui me hante
N'a pas de trêve et va furieux, fou, jaloux,
Se multipliant comme un cortège de loups
Et se pendant après mon sort qu'il ensanglante !

Oh ! je souffre, je souffre affreusement, si bien
Que le gémissement premier du premier homme
Chassé d'Éden n'est qu'une églogue au prix du mien !

Et les soucis que vous pouvez avoir sont comme
Des hirondelles sur un ciel d'après-midi,
— Chère, — par un beau jour de septembre attiédi.

VIII

L'ANGOISSE

Nature, rien de toi ne m'émeut, ni les champs
Nourriciers, ni l'écho vermeil des pastorales
Siciliennes, ni les pompes aurorales,
Ni la solennité dolente des couchants.

Je ris de l'Art, je ris de l'Homme aussi, des chants,
Des vers, des temples grecs et des tours en spirales
Qu'étirent dans le ciel vide les cathédrales,
Et je vois du même œil les bons et les méchants.

Je ne crois pas en Dieu, j'abjure et je renie
Toute pensée, et quant à la vieille ironie,
L'Amour, je voudrais bien qu'on ne m'en parlât plus.

Lasse de vivre, ayant peur de mourir, pareille
Au brick perdu jouet du flux et du reflux,
Mon âme pour d'affreux naufrages appareille.

EAUX-FORTES

À François Coppée.

I

CROQUIS PARISIEN

La lune plaquait ses teintes de zinc
      Par angles obtus.
Des bouts de fumée en forme de cinq
Sortaient drus et noirs des hauts toits pointus.

Le ciel était gris. La bise pleurait
      Ainsi qu'un basson.
Au loin, un matou frileux et discret
Miaulait d'étrange et grêle façon.

Moi, j'allais, rêvant du divin Platon
      Et de Phidias,
Et de Salamine et de Marathon,
Sous l'œil clignotant des bleus becs de gaz.

II

CAUCHEMAR

J'ai vu passer dans mon rêve
— Tel l'ouragan sur la grève, —
D'une main tenant un glaive
Et de l'autre un sablier,
      Ce cavalier

Des ballades d'Allemagne
Qu'à travers ville et campagne,
Et du fleuve à la montagne,
Et des forêts au vallon,
      Un étalon

Rouge-flamme et noir d'ébène,
Sans bride, ni mors, ni rêne,
Ni hop ! ni cravache, entraîne
Parmi des râlements sourds
      Toujours ! toujours !

Un grand feutre à longue plume
Ombrait son œil qui s'allume
Et s'éteint. Tel, dans la brume,
Éclate et meurt l'éclair bleu
      D'une arme à feu.

Comme l'aile d'une orfraie
Qu'un subit orage effraie,

Par l'air que la neige raie,
Son manteau se soulevant
      Claquait au vent,

Et montrait d'un air de gloire
Un torse d'ombre et d'ivoire,
Tandis que dans la nuit noire
Luisaient en des cris stridents
      Trente-deux dents.

III

MARINE

L'océan sonore
Palpite sous l'œil
De la lune en deuil
Et palpite encore,

Tandis qu'un éclair
Brutal et sinistre
Fend le ciel de bistre
D'un long zigzag clair,

Et que chaque lame
En bonds convulsifs
Le long des récifs
Va, vient, luit et clame,

Et qu'au firmament,
Où l'ouragan erre,
Rugit le tonnerre
Formidablement.

IV

EFFET DE NUIT

La nuit. La pluie. Un ciel blafard que déchiquette
De flèches et de tours à jour la silhouette
D'une ville gothique éteinte au lointain gris.
La plaine. Un gibet plein de pendus rabougris
Secoués par le bec avide des corneilles
Et dansant dans l'air noir des gigues nonpareilles,
Tandis que leurs pieds sont la pâture des loups.
Quelques buissons d'épine épars, et quelques houx
Dressant l'horreur de leur feuillage à droite, à gauche,
Sur le fuligineux fouillis d'un fond d'ébauche.
Et puis, autour de trois livides prisonniers
Qui vont pieds nus, un gros de hauts pertuisaniers
En marche, et leurs fers droits, comme des fers de herse,
Luisent à contre-sens des lances de l'averse.

V

GROTESQUES

Leurs jambes pour toutes montures,
Pour tous biens l'or de leurs regards,
Par le chemin des aventures
Ils vont haillonneux et hagards.

Le sage, indigné, les harangue ;
Le sot plaint ces fous hasardeux ;
Les enfants leur tirent la langue
Et les filles se moquent d'eux.

C'est qu'odieux et ridicules,
Et maléfiques en effet,
Ils ont l'air, sur les crépuscules,
D'un mauvais rêve que l'on fait ;

C'est que, sur leurs aigres guitares
Crispant la main des libertés,
Ils nasillent des chants bizarres,
Nostalgiques et révoltés ;

C'est enfin que dans leurs prunelles
Rit et pleure — fastidieux —
L'amour des choses éternelles,
Des vieux morts et des anciens dieux !

— Donc, allez, vagabonds sans trêves,
Errez, funestes et maudits,
Le long des gouffres et des grèves,
Sous l'œil fermé des paradis !

La nature à l'homme s'allie
Pour châtier comme il le faut
L'orgueilleuse mélancolie
Qui vous fait marcher le front haut,

Et vengeant sur vous le blasphème
Des vastes espoirs véhéments,
Meurtrit votre front anathème
Au choc rude des éléments.

Les juins brûlent et les décembres
Gèlent votre chair jusqu'aux os,
Et la fièvre envahit vos membres
Qui se déchirent aux roseaux.

Tout vous repousse et tout vous navre,
Et quand la mort viendra pour vous,
Maigre et froide, votre cadavre
Sera dédaigné par les loups !

PAYSAGES TRISTES

I

SOLEILS COUCHANTS

Une aube affaiblie
Verse par les champs
La mélancolie
Des soleils couchants.
La mélancolie
Berce de doux chants
Mon cœur qui s'oublie
Aux soleils couchants.
Et d'étranges rêves,
Comme des soleils
Couchants sur les grèves,
Fantômes vermeils,
Défilent sans trêves,
Défilent, pareils
À des grands soleils
Couchants sur les grèves.

II

CRÉPUSCULE DU SOIR MYSTIQUE

Le Souvenir avec le Crépuscule
Rougeoie et tremble à l'ardent horizon
De l'Espérance en flamme qui recule
Et s'agrandit ainsi qu'une cloison
Mystérieuse où mainte floraison
— Dahlia, lys, tulipe et renoncule —
S'élance autour d'un treillis, et circule
Parmi la maladive exhalaison
De parfums lourds et chauds, dont le poison
— Dahlia, lys, tulipe et renoncule —
Noyant mes sens, mon âme et ma raison,
Mêle dans une immense pâmoison
Le Souvenir avec le Crépuscule.

III

PROMENADE SENTIMENTALE

Le couchant dardait ses rayons suprêmes
Et le vent berçait les nénuphars blêmes ;
Les grands nénuphars entre les roseaux
Tristement luisaient sur les calmes eaux.
Moi j'errais tout seul, promenant ma plaie
Au long de l'étang, parmi la saulaie
Où la brume vague évoquait un grand
Fantôme laiteux se désespérant
Et pleurant avec la voix des sarcelles
Qui se rappelaient en battant des ailes
Parmi la saulaie où j'errais tout seul
Promenant ma plaie ; et l'épais linceul
Des ténèbres vint noyer les suprêmes
Rayons du couchant dans ses ondes blêmes
Et les nénuphars, parmi les roseaux,
Les grands nénuphars sur les calmes eaux.

IV

NUIT DU WALPURGIS CLASSIQUE

C'est plutôt le sabbat du second Faust que l'autre.
Un rhythmique sabbat, rhythmique, extrêmement
Rhythmique. — Imaginez un jardin de Lenôtre,
    Correct, ridicule et charmant.

Des ronds-points ; au milieu, des jets d'eaux ; des allées
Toutes droites ; sylvains de marbre ; dieux marins
De bronze ; çà et là, des Vénus étalées ;
    Des quinconces, des boulingrins ;

Des châtaigniers ; des plants de fleurs formant la dune ;
Ici, des rosiers nains qu'un goût docte affila ;
Plus loin, des ifs taillés en triangles. La lune
    D'un soir d'été sur tout cela.

Minuit sonne, et réveille au fond du parc aulique
Un air mélancolique, un sourd, lent et doux air
De chasse : tel, doux, lent, sourd et mélancolique,
    L'air de chasse de *Tannhäuser*.

Des chants voilés de cors lointains où la tendresse
Des sens étreint l'effroi de l'âme en des accords
Harmonieusement dissonants dans l'ivresse ;
    Et voici qu'à l'appel des cors

S'entrelacent soudain des formes toutes blanches,
Diaphanes, et que le clair de lune fait
Opalines parmi l'ombre verte des branches,
    — Un Watteau rêvé par Raffet ! —

S'entrelacent parmi l'ombre verte des arbres
D'un geste alangui, plein d'un désespoir profond,
Puis, autour des massifs, des bronzes et des marbres,
    Très lentement dansent en rond.

— Ces spectres agités, sont-ce donc la pensée
Du poëte ivre, ou son regret, ou son remords,
Ces spectres agités en tourbe cadencée,
    Ou bien tout simplement des morts ?

Sont-ce donc ton remords, ô rêvasseur qu'invite
L'horreur, ou ton regret, ou ta pensée, — hein ? — tous
Ces spectres qu'un vertige irrésistible agite,
    Ou bien des morts qui seraient fous ? —

N'importe ! ils vont toujours, les fébriles fantômes,
Menant leur ronde vaste et morne et tressautant
Comme dans un rayon de soleil des atomes,
    Et s'évaporant à l'instant

Humide et blême où l'aube éteint l'un après l'autre
Les corps, en sorte qu'il ne reste absolument
Plus rien — absolument — qu'un jardin de Lenôtre,
    Correct, ridicule et charmant.

la cité des morts aubervont fantômes

V

CHANSON D'AUTOMNE

Les sanglots longs
Des violons
  De l'automne
Blessent mon cœur
D'une langueur
  Monotone.

Tout suffocant
Et blême, quand
  Sonne l'heure,

Je me souviens
Des jours anciens
  Et je pleure ;

Et je m'en vais
Au vent mauvais
  Qui m'emporte
Deçà, delà,
Pareil à la
  Feuille morte.

VI

L'HEURE DU BERGER

La lune est rouge au brumeux horizon ;
Dans un brouillard qui danse la prairie
S'endort fumeuse, et la grenouille crie
Par les joncs verts où circule un frisson ;

Les fleurs des eaux referment leurs corolles ;
Des peupliers profilent aux lointains,
Droits et serrés, leurs spectres incertains ;
Vers les buissons errent les lucioles ;

Les chats-huants s'éveillent, et sans bruit
Rament l'air noir avec leurs ailes lourdes,
Et le zénith s'emplit de lueurs sourdes.
Blanche, Vénus émerge, et c'est la Nuit.

VII

LE ROSSIGNOL

Comme un vol criard d'oiseaux en émoi,
Tous mes souvenirs s'abattent sur moi,
S'abattent parmi le feuillage jaune
De mon cœur mirant son tronc plié d'aune
Au tain violet de l'eau des Regrets
Qui mélancoliquement coule auprès,
S'abattent, et puis la rumeur mauvaise
Qu'une brise moite en montant apaise,
S'éteint par degrés dans l'arbre, si bien
Qu'au bout d'un instant on n'entend plus rien,
Plus rien que la voix célébrant l'Absente,
Plus rien que la voix — ô si languissante ! —
De l'oiseau que fut mon Premier Amour,
Et qui chante encor comme au premier jour ;
Et, dans la splendeur triste d'une lune
Se levant blafarde et solennelle, une
Nuit mélancolique et lourde d'été,
Pleine de silence et d'obscurité,
Berce sur l'azur qu'un vent doux effleure
L'arbre qui frissonne et l'oiseau qui pleure.

CAPRICES

À Henry Winter.

I

FEMME ET CHATTE

Elle jouait avec sa chatte,
Et c'était merveille de voir
La main blanche et la blanche patte
S'ébattre dans l'ombre du soir.

Elle cachait — la scélérate ! —
Sous ses mitaines de fil noir
Ses meurtriers ongles d'agate,
Coupants et clairs comme un rasoir.

L'autre aussi faisait la sucrée
Et rentrait sa griffe acérée,
Mais le diable n'y perdait rien...

Et dans le boudoir où, sonore,
Tintait son rire aérien,
Brillaient quatre points de phosphore.

II

JÉSUITISME

Le Chagrin qui me tue est ironique, et joint
Le sarcasme au supplice, et ne torture point
Franchement, mais picote avec un faux sourire
Et transforme en spectacle amusant mon martyre,
Et sur la bière où gît mon Rêve mi-pourri
Beugle un *De Profundis* sur l'air du *Tradéri*.
C'est un Tartuffe qui, tout en mettant des roses
Pompons sur les autels des Madones moroses,
Tout en faisant chanter à des enfants de chœur
Des cantiques d'eau tiède où se baigne le cœur,
Tout en amidonnant ces guimpes amoureuses
Qui serpentent au cœur sacré des Bienheureuses,
Tout en disant à voix basse son chapelet,
Tout en passant la main sur son petit collet,
Tout en parlant avec componction de l'âme,
N'en médite pas moins ma ruine, — l'infâme !

III

LA CHANSON DES INGÉNUES

Nous sommes les Ingénues
Aux bandeaux plats, à l'œil bleu,
Qui vivons, presque inconnues,
Dans les romans qu'on lit peu.

Nous allons entrelacées,
Et le jour n'est pas plus pur
Que le fond de nos pensées,
Et nos rêves sont d'azur ;

Et nous courons par les prés
Et rions et babillons
Des aubes jusqu'aux vesprées,
Et chassons aux papillons ;

Et des chapeaux de bergères
Défendent notre fraîcheur,
Et nos robes — si légères —
Sont d'une extrême blancheur ;

Les Richelieux, les Caussades
Et les chevaliers Faublas
Nous prodiguent les œillades,
Les saluts et les « hélas ! »

Mais en vain, et leurs mimiques
Se viennent casser le nez
Devant les plis ironiques
De nos jupons détournés ;

Et notre candeur se raille
Des imaginations
De ces raseurs de muraille,
Bien que parfois nous sentions

Battre nos cœurs sous nos mantes
À des pensers clandestins,
En nous sachant les amantes
Futures des libertins.

IV

UNE GRANDE DAME

Belle « à damner les saints », à troubler sous l'aumusse
Un vieux juge ! Elle marche impérialement.
Elle parle — et ses dents font un miroitement —
Italien, avec un léger accent russe.

Ses yeux froids où l'émail sertit le bleu de Prusse
Ont l'éclat insolent et dur du diamant.
Pour la splendeur du sein, pour le rayonnement
De la peau, nulle reine ou courtisane, fût-ce

Cléopâtre la lynce ou la chatte Ninon,
N'égale sa beauté patricienne, non !
Vois, ô bon Buridan : « C'est une grande dame ! »

Il faut — pas de milieu ! — l'adorer à genoux,
Plat, n'ayant d'astre aux cieux que ses lourds cheveux
    roux,
Ou bien lui cravacher la face, à cette femme !

V

MONSIEUR PRUDHOMME

Il est grave : il est maire et père de famille.
Son faux col engloutit son oreille. Ses yeux
Dans un rêve sans fin flottent insoucieux,
Et le printemps en fleur sur ses pantoufles brille.

Que lui fait l'astre d'or, que lui fait la charmille
Où l'oiseau chante à l'ombre, et que lui font les cieux,
Et les prés verts et les gazons silencieux ?
Monsieur Prudhomme songe à marier sa fille

Avec monsieur Machin, un jeune homme cossu.
Il est juste-milieu, botaniste et pansu.
Quant aux faiseurs de vers, ces vauriens, ces maroufles,

Ces fainéants barbus, mal peignés, il les a
Plus en horreur que son éternel coryza,
Et le printemps en fleur brille sur ses pantoufles.

INITIUM

Les violons mêlaient leur rire au chant des flûtes
Et le bal tournoyait quand je la vis passer
Avec ses cheveux blonds jouant sur les volutes
De son oreille où mon Désir comme un baiser
S'élançait et voulait lui parler, sans oser.

Cependant elle allait, et la mazurque lente
La portait dans son rythme indolent comme un vers,
— Rime mélodieuse, image étincelante, —
Et son âme d'enfant rayonnait à travers
La sensuelle ampleur de ses yeux gris et verts.

Et depuis, ma Pensée — immobile — contemple
Sa Splendeur évoquée, en adoration,
Et dans son Souvenir, ainsi que dans un temple,
Mon Amour entre, plein de superstition.

Et je crois que voici venir la Passion.

ÇAVITRÎ

(Maha Baratta.)

Pour sauver son époux, Çavitrî fit le vœu
De se tenir trois jours entiers, trois nuits entières,
Debout, sans remuer jambes, buste ou paupières :
Rigide, ainsi que dit Vyaça, comme un pieu.

Ni, Çurya, tes rais cruels, ni la langueur
Que Tchandra vient épandre à minuit sur les cimes
Ne firent défaillir, dans leurs efforts sublimes,
La pensée et la chair de la femme au grand cœur.

— Que nous cerne l'Oubli, noir et morne assassin,
Ou que l'Envie aux traits amers nous ait pour cibles,
Ainsi que Çavitrî faisons-nous impassibles,
Mais, comme elle, dans l'âme ayons un haut dessein.

SUB URBE

Les petits ifs du cimetière
Frémissent au vent hiémal,
Dans la glaciale lumière.

Avec des bruits sourds qui font mal,
Les croix de bois des tombes neuves
Vibrent sur un ton anormal.

Silencieux comme des fleuves,
Mais gros de pleurs comme eux de flots,
Les fils, les mères et les veuves,

Par les détours du triste enclos
S'écoulent, — lente théorie, —
Au rythme heurté des sanglots.

Le sol sous les pieds glisse et crie,
Là-haut de grands nuages tors
S'échevèlent avec furie.

Pénétrant comme le remords,
Tombe un froid lourd qui vous écœure
Et qui doit filtrer chez les morts,

Chez les pauvres morts, à toute heure
Seuls, et sans cesse grelottants,
Qu'on les oublie ou qu'on les pleure ! —

Ah ! vienne vite le Printemps,
Et son clair soleil qui caresse,
Et ses doux oiseaux caquetants !

Refleurisse l'enchanteresse
Gloire des jardins et des champs
Que l'âpre hiver tient en détresse !

Et que — des levers aux couchants —
L'or dilaté d'un ciel sans bornes
Berce de parfums et de chants,

Chers endormis, vos sommeils mornes !

SÉRÉNADE

Comme la voix d'un mort qui chanterait
    Du fond de sa fosse,
Maîtresse, entends monter vers ton retrait
    Ma voix aigre et fausse.

Ouvre ton âme et ton oreille au son
    De ma mandoline :
Pour toi j'ai fait, pour toi, cette chanson
    Cruelle et câline.

Je chanterai tes yeux d'or et d'onyx
    Purs de toutes ombres,
Puis le Léthé de ton sein, puis le Styx
    De tes cheveux sombres.

Comme la voix d'un mort qui chanterait
    Du fond de sa fosse,
Maîtresse, entends monter vers ton retrait
    Ma voix aigre et fausse.

Puis je louerai beaucoup, comme il convient,
    Cette chair bénie
Dont le parfum opulent me revient
    Les nuits d'insomnie.

Et pour finir, je dirai le baiser
    De ta lèvre rouge,
Et ta douceur à me martyriser,
    — Mon Ange ! — ma Gouge !

Ouvre ton âme et ton oreille au son
    De ma mandoline :
Pour toi j'ai fait, pour toi, cette chanson
    Cruelle et câline.

UN DAHLIA

Courtisane au sein dur, à l'œil opaque et brun
S'ouvrant avec lenteur comme celui d'un bœuf,
Ton grand torse reluit ainsi qu'un marbre neuf.

Fleur grasse et riche, autour de toi ne flotte aucun
Arôme, et la beauté sereine de ton corps
Déroule, mate, ses impeccables accords.

Tu ne sens même pas la chair, ce goût qu'au moins
Exhalent celles-là qui vont fanant les foins,
Et tu trônes, Idole insensible à l'encens.

— Ainsi le Dahlia, roi vêtu de splendeur,
Élève sans orgueil sa tête sans odeur,
Irritant au milieu des jasmins agaçants !

NEVERMORE

Allons, mon pauvre cœur, allons, *mon vieux complice*,
Redresse et peins à neuf tous tes arcs triomphaux ;
Brûle un encens ranci sur tes autels d'or faux ;
Sème de fleurs les bords béants du précipice ;
Allons, mon pauvre cœur, allons, *mon vieux complice !*

Pousse à Dieu ton cantique, ô chantre rajeuni ;
Entonne, orgue enroué, des *Te Deum* splendides ;
Vieillard prématuré, mets du fard sur tes rides ;
Couvre-toi de tapis mordorés, mur jauni ;
Pousse à Dieu ton cantique, ô chantre rajeuni.

Sonnez, grelots ; sonnez, clochettes ; sonnez, cloches !
Car mon rêve impossible a pris corps, et je l'ai
Entre mes bras pressé : le Bonheur, cet ailé
Voyageur qui de l'Homme évite les approches,
— Sonnez, grelots ; sonnez, clochettes ; sonnez, cloches !

Le Bonheur a marché côte à côte avec moi ;
Mais la FATALITÉ ne connaît point de trêve :
Le ver est dans le fruit, le réveil dans le rêve.
Et le remords est dans l'amour : telle est la loi.
— Le Bonheur a marché côte à côte avec moi.

IL BACIO

Baiser ! rose trémière au jardin des caresses !
Vif accompagnement sur le clavier des dents
Des doux refrains qu'Amour chante en les cœurs ardents
Avec sa voix d'archange aux langueurs charmeresses !

Sonore et gracieux Baiser, divin Baiser !
Volupté nonpareille, ivresse inénarrable !
Salut ! L'homme, penché sur ta coupe adorable,
S'y grise d'un bonheur qu'il ne sait épuiser.

Comme le vin du Rhin et comme la musique,
Tu consoles et tu berces, et le chagrin
Expire avec la moue en ton pli purpurin...
Qu'un plus grand, Gœthe ou Will, te dresse un vers
    classique.

Moi, je ne puis, chétif trouvère de Paris,
T'offrir que ce bouquet de strophes enfantines :
Sois bénin et, pour prix, sur les lèvres mutines
D'Une que je connais, Baiser, descends, et ris.

DANS LES BOIS

D'autres, — des innocents ou bien des lymphatiques,
Ne trouvent dans les bois que charmes langoureux,
Souffles frais et parfums tièdes. Ils sont heureux !
D'autres s'y sentent pris — rêveurs — d'effrois
    mystiques.

Ils sont heureux ! Pour moi, nerveux, et qu'un remords
Épouvantable et vague affole sans relâche,
Par les forêts je tremble à la façon d'un lâche
Qui craindrait une embûche ou qui verrait des morts.

Ces grands rameaux jamais apaisés, comme l'onde,
D'où tombe un noir silence avec une ombre encor
Plus noire, tout ce morne et sinistre décor
Me remplit d'une horreur triviale et profonde.

Surtout les soirs d'été : la rougeur du couchant
Se fond dans le gris bleu des brumes qu'elle teinte
D'incendie et de sang ; et l'angélus qui tinte
Au lointain semble un cri plaintif se rapprochant.

Le vent se lève chaud et lourd, un frisson passe
Et repasse, toujours plus fort, dans l'épaisseur
Toujours plus sombre des hauts chênes, obsesseur,
Et s'éparpille, ainsi qu'un miasme, dans l'espace.

La nuit vient. Le hibou s'envole. C'est l'instant
Où l'on songe aux récits des aïeules naïves...
Sous un fourré, là-bas, là-bas, des sources vives
Font un bruit d'assassins postés se concertant.

NOCTURNE PARISIEN

À Edmond Lepelletier.

Roule, roule ton flot indolent, morne Seine. —
Sous tes ponts qu'environne une vapeur malsaine
Bien des corps ont passé, morts, horribles, pourris,
Dont les âmes avaient pour meurtrier Paris.
Mais tu n'en traînes pas, en tes ondes glacées,
Autant que ton aspect m'inspire de pensées !

Le Tibre a sur ses bords des ruines qui font
Monter le voyageur vers un passé profond,
Et qui, de lierre noir et de lichen couvertes,
Apparaissent, tas gris, parmi les herbes vertes.
Le gai Guadalquivir rit aux blonds orangers
Et reflète, les soirs, des boléros légers.
Le Pactole a son or, le Bosphore a sa rive
Où vient faire son kief l'odalisque lascive.
Le Rhin est un burgrave, et c'est un troubadour
Que le Lignon, et c'est un ruffian que l'Adour.
Le Nil, au bruit plaintif de ses eaux endormies,
Berce de rêves doux le sommeil des momies.
Le grand Meschascébé, fier de ses joncs sacrés,
Charrie augustement ses îlots mordorés,
Et soudain, beau d'éclairs, de fracas et de fastes,
Splendidement s'écroule en Niagaras vastes.

L'Eurotas, où l'essaim des cygnes familiers
Mêle sa grâce blanche au vert mat des lauriers,
Sous son ciel clair que raie un vol de gypaète,
Rhythmique et caressant, chante ainsi qu'un poëte.
Enfin, Ganga, parmi les hauts palmiers tremblants
Et les rouges padmas, marche à pas fiers et lents
En appareil royal, tandis qu'au loin la foule
Le long des temples va hurlant, vivante houle,
Au claquement massif des cymbales de bois,
Et qu'accroupi, filant ses notes de hautbois,
Du saut de l'antilope agile attendant l'heure,
Le tigre jaune au dos rayé s'étire et pleure.

— Toi, Seine, tu n'as rien. Deux quais, et voilà tout,
Deux quais crasseux, semés de l'un à l'autre bout
D'affreux bouquins moisis et d'une foule insigne
Qui fait dans l'eau des ronds et qui pêche à la ligne.
Oui, mais quand vient le soir, raréfiant enfin
Les passants alourdis de sommeil ou de faim,
Et que le couchant met au ciel des taches rouges,
Qu'il fait bon aux rêveurs descendre de leurs bouges
Et, s'accoudant au pont de la Cité, devant
Notre-Dame, songer, cœur et cheveux au vent !
Les nuages, chassés par la brise nocturne,
Courent, cuivreux et roux, dans l'azur taciturne.
Sur la tête d'un roi du portail, le soleil,
Au moment de mourir, pose un baiser vermeil.
L'hirondelle s'enfuit à l'approche de l'ombre,
Et l'on voit voleter la chauve-souris sombre.
Tout bruit s'apaise autour. À peine un vague son
Dit que la ville est là qui chante sa chanson,
Qui lèche ses tyrans et qui mord ses victimes ;
Et c'est l'aube des vols, des amours et des crimes.
— Puis, tout à coup, ainsi qu'un ténor effaré
Lançant dans l'air bruni son cri désespéré,
Son cri qui se lamente et se prolonge, et crie,
Éclate en quelque coin l'orgue de Barbarie :
Il brame un de ces airs, romances ou polkas,
Qu'enfants nous tapotions sur nos harmonicas
Et qui font, lents ou vifs, réjouissants ou tristes,

Vibrer l'âme aux proscrits, aux femmes, aux artistes.
C'est écorché, c'est faux, c'est horrible, c'est dur,
Et donnerait la fièvre à Rossini, pour sûr ;
Ces rires sont traînés, ces plaintes sont hachées ;
Sur une clef de sol impossible juchées,
Les notes ont un rhume et les *do* sont des *la*,
Mais qu'importe ! l'on pleure en entendant cela !
Mais l'esprit, transporté dans le pays des rêves,
Sent à ces vieux accords couler en lui des sèves ;
La pitié monte au cœur et les larmes aux yeux,
Et l'on voudrait pouvoir goûter la paix des cieux,
Et dans une harmonie étrange et fantastique
Qui tient de la musique et tient de la plastique,
L'âme, les inondant de lumière et de chant,
Mêle les sons de l'orgue aux rayons du couchant !

— Et puis l'orgue s'éloigne, et puis c'est le silence,
Et la nuit terne arrive, et Vénus se balance
Sur une molle nue au fond des cieux obscurs ;
On allume les becs de gaz le long des murs,
Et l'astre et les flambeaux font des zigzags fantasques
Dans le fleuve plus noir que le velours des masques ;
Et le contemplateur sur le haut garde-fou
Par l'air et par les ans rouillé comme un vieux sou
Se penche, en proie aux vents néfastes de l'abîme.
Pensée, espoir serein, ambition sublime,
Tout, jusqu'au souvenir, tout s'envole, tout fuit,
Et l'on est seul avec Paris, l'Onde et la Nuit !

— Sinistre trinité ! De l'ombre dures portes !
Mané-Thécel-Pharès des illusions mortes !
Vous êtes toutes trois, ô Goules de malheur,
Si terribles, que l'Homme, ivre de la douleur
Que lui font en perçant sa chair vos doigts de spectre,
L'Homme, espèce d'Oreste à qui manque une Électre,
Sous la fatalité de votre regard creux
Ne peut rien et va droit au précipice affreux ;
Et vous êtes aussi toutes trois si jalouses
De tuer et d'offrir au grand Ver des épouses
Qu'on ne sait que choisir entre vos trois horreurs,

Et si l'on craindrait moins périr par les terreurs
Des Ténèbres que sous l'Eau sourde, l'Eau profonde,
Ou dans tes bras fardés, Paris, reine du monde !

— Et tu coules toujours, Seine, et, tout en rampant,
Tu traînes dans Paris ton cours de vieux serpent,
De vieux serpent boueux, emportant vers tes havres
Tes cargaisons de bois, de houille et de cadavres !

MARCO

Quand Marco passait, tous les jeunes hommes
Se penchaient pour voir ses yeux, des Sodomes
Où les feux d'Amour brûlaient sans pitié
Ta pauvre cahute, ô froide Amitié ;
Tout autour dansaient des parfums mystiques
Où l'âme en pleurant s'anéantissait ;
Sur ses cheveux roux un charme glissait ;
Sa robe rendait d'étranges musiques
      Quand Marco passait.

Quand Marco chantait, ses mains sur l'ivoire
Évoquaient souvent la profondeur noire
Des airs primitifs que nul n'a redits,
Et sa voix montait dans les paradis
De la symphonie immense des rêves,
Et l'enthousiasme alors transportait
Vers des cieux *connus* quiconque écoutait
Ce timbre d'argent qui vibrait sans trêves,
      Quand Marco chantait.

Quand Marco pleurait, ses terribles larmes
Défiaient l'éclat des plus belles armes ;
Ses lèvres de sang fonçaient leur carmin
Et son désespoir n'avait rien d'humain ;
Pareil au foyer que l'huile exaspère,
Son courroux croissait, rouge, et l'on aurait

Dit d'une lionne à l'âpre forêt
Communiquant sa terrible colère,
      Quand Marco pleurait.

Quand Marco dansait, sa jupe moirée
Allait et venait comme une marée,
Et, tel qu'un bambou flexible, son flanc
Se tordait, faisant saillir son sein blanc :
Un éclair partait. Sa jambe de marbre,
Emphatiquement cynique, haussait
Ses mates splendeurs, et cela faisait
Le bruit du vent de la nuit dans un arbre,
      Quand Marco dansait.

Quand Marco dormait, oh ! quels parfums d'ambre
Et de chairs mêlés opprimaient la chambre !
Sous les draps la ligne exquise du dos
Ondulait, et dans l'ombre des rideaux
L'haleine montait, rhythmique et légère ;
Un sommeil heureux et calme fermait
Ses yeux, et ce doux mystère charmait
Les vagues objets parmi l'étagère,
      Quand Marco dormait.

Mais quand elle aimait, des flots de luxure
Débordaient, ainsi que d'une blessure
Sort un sang vermeil qui fume et qui bout,
De ce corps cruel que son crime absout ;
Le torrent rompait les digues de l'âme,
Noyait la pensée, et bouleversait
Tout sur son passage, et rebondissait
Souple et dévorant comme de la flamme,
      Et puis se glaçait.

CÉSAR BORGIA

PORTRAIT EN PIED

Sur fond sombre noyant un riche vestibule
Où le buste d'Horace et celui de Tibulle,
Lointains et de profil, rêvent en marbre blanc,
La main gauche au poignard et la main droite au flanc,
Tandis qu'un rire doux redresse la moustache,
Le duc CÉSAR en grand costume se détache.
Les yeux noirs, les cheveux noirs et le velours noir
Vont contrastant, parmi l'or somptueux d'un soir,
Avec la pâleur mate et belle du visage
Vu de trois quarts et très ombré, suivant l'usage
Des Espagnols ainsi que des Vénitiens
Dans les portraits de rois et de patriciens.
Le nez palpite, fin et droit. La bouche, rouge,
Est mince, et l'on dirait que la tenture bouge
Au souffle véhément qui doit s'en exhaler.
Et le regard, errant avec laisser-aller
Devant lui, comme il sied aux anciennes peintures,
Fourmille de pensers énormes d'aventures.
Et le front, large et pur, sillonné d'un grand pli,
Sans doute de projets formidables rempli,
Médite sous la toque où frissonne une plume
Émise hors d'un nœud de rubis qui s'allume.

LA MORT DE PHILIPPE II

À Louis-Xavier de Ricard.

Le coucher d'un soleil de septembre ensanglante
La plaine morne et l'âpre arête des sierras
Et de la brume au loin l'installation lente.

Le Guadarrama pousse entre les sables ras
Son flot hâtif qui va réfléchissant par places
Quelques oliviers nains tordant leurs maigres bras.

Le grand vol anguleux des éperviers rapaces
Raye à l'ouest le ciel mat et rouge qui brunit,
Et leur cri rauque grince à travers les espaces.

Despotique, et dressant au-devant du zénith
L'entassement brutal de ses tours octogones,
L'Escurial étend son orgueil de granit.

Les murs carrés, percés de vitraux monotones,
Montent droits, blancs et nus, sans autres ornements
Que quelques grils sculptés qu'alternent des couronnes.

Avec des bruits pareils aux rudes hurlements
D'un ours que des bergers navrent de coups de pioches
Et dont l'écho redit les râles alarmants,

Torrent de cris roulant ses ondes sur les roches,
Ft puis s'évaporant en des murmures longs,
Sinistrement dans l'air du soir tintent les cloches.

Par les cours du palais, où l'ombre met ses plombs,
Circule — tortueux serpent hiératique —
Une procession de moines aux frocs blonds

Qui marchent un par un, suivant l'ordre ascétique
Et qui, pieds nus, la corde aux reins, un cierge en main,
Ululent d'une voix formidable un cantique.

— Qui donc ici se meurt ? Pour qui sur le chemin
Cette paille épandue et ces croix long-voilées
Selon le rituel catholique romain ? —

La chambre est haute, vaste et sombre. Niellées,
Les portes d'acajou massif tournent sans bruit,
Leurs serrures étant, comme leurs gonds, huilées.

Une vague rougeur plus triste que la nuit
Filtre à rais indécis par les plis des tentures
À travers les vitraux où le couchant reluit,

Et fait papilloter sur les architectures,
À l'angle des objets, dans l'ombre du plafond,
Ce halo singulier qu'on voit dans les peintures.

Parmi le clair-obscur transparent et profond
S'agitent effarés des hommes et des femmes
À pas furtifs, ainsi que les hyènes font.

Riches, les vêtements des seigneurs et des dames,
Velours, panne, satin, soie, hermine et brocart,
Chantent l'ode du luxe en chatoyantes gammes,

Et, trouant par éclairs distancés avec art
L'opaque demi-jour, les cuirasses de cuivre
Des gardes alignés scintillent de trois quart.

Un homme en robe noire, à visage de guivre,
Se penche, en caressant de la main ses fémurs,
Sur un lit, comme l'on se penche sur un livre.

Des rideaux de drap d'or roides comme des murs
Tombent d'un dais de bois d'ébène en droite ligne,
Dardant à temps égaux l'œil des diamants durs.

Dans le lit, un vieillard d'une maigreur insigne
Égrène un chapelet, qu'il baise par moment,
Entre ses doigts crochus comme des brins de vigne.

Ses lèvres font ce sourd et long marmottement,
Dernier signe de vie et premier d'agonie,
— Et son haleine pue épouvantablement.

Dans sa barbe couleur d'amarante ternie,
Parmi ses cheveux blancs où luisent des tons roux,
Sous son linge bordé de dentelle jaunie,

Avides, empressés, fourmillants et jaloux
De pomper tout le sang malsain du mourant fauve,
En bataillons serrés vont et viennent les poux.

C'est le Roi, ce mourant qu'assiste un mire chauve,
Le Roi Philippe Deux d'Espagne, — saluez ! —
Et l'aigle autrichien s'effare dans l'alcôve,

Et de grands écussons, aux murailles cloués,
Brillent, et maints drapeaux où l'oiseau noir s'étale
Pendent de çà de là, vaguement remués !...

— La porte s'ouvre. Un flot de lumière brutale
Jaillit soudain, déferle et bientôt s'établit
Par l'ampleur de la chambre en nappe horizontale ;

Porteurs de torches, roux, et que l'extase emplit,
Entrent dix capucins qui restent en prière :
Un d'entre eux se détache et marche droit au lit.

Il est grand, jeune et maigre, et son pas est de pierre,
Et les élancements farouches de la Foi
Rayonnent à travers les cils de sa paupière ;

Son pied ferme et pesant et lourd, comme la Loi,
Sonne sur les tapis, régulier, emphatique :
Les yeux baissés en terre, il marche droit au Roi.

Et tous sur son trajet dans un geste extatique
S'agenouillent, frappant trois fois du poing leur sein ;
Car il porte avec lui le sacré Viatique.

Du lit s'écarte avec respect le matassin,
Le médecin du corps, en pareille occurrence,
Devant céder la place, Âme, à ton médecin.

La figure du Roi, qu'étire la souffrance,
À l'approche du fray se rassérène un peu,
Tant la religion est grosse d'espérance !

Le moine cette fois ouvrant son œil de feu
Tout brillant de pardons mêlés à des reproches,
S'arrête, messager des justices de Dieu.

— Sinistrement dans l'air du soir tintent les cloches.

Et la Confession commence. Sur le flanc
Se retournant, le Roi, d'un ton sourd, bas et grêle,
Parle de feux, de juifs, de bûchers et de sang.

— « Vous repentiriez-vous par hasard de ce zèle ?
» Brûler des juifs, mais c'est une dilection !
» Vous fûtes, ce faisant, orthodoxe et fidèle. » —

Et se pétrifiant dans l'exaltation,
Le Révérend, les bras croisés, tête baissée,
Semble l'esprit sculpté de l'Inquisition.

Ayant repris haleine, et d'une voix cassée,
Péniblement, et comme arrachant par lambeaux
Un remords douloureux du fond de sa pensée,

Le Roi, dont la lueur tragique des flambeaux
Éclaire le visage osseux et le front blême,
Prononce ces mots : Flandre, Albe, morts, sacs, tom-
beaux.

— « Les Flamands, révoltés contre l'Église même,
» Furent très justement punis, à votre los,
» Et je m'étonne, ô Roi, de ce doute suprême.

» Poursuivez. » Et le Roi parla de don Carlos.
Et deux larmes coulaient tremblantes sur sa joue
Palpitante et collée affreusement à l'os.

— « Vous déplorez cet acte, et moi je vous en loue !
» L'Infant, certes, était coupable au dernier point,
» Ayant voulu tirer l'Espagne dans la boue

» De l'hérésie anglaise, et de plus n'ayant point
» Frémi de conspirer — ô ruses abhorrées ! —
» Et contre un Père, et contre un Maître, et contre un
Oint ! » —

Le moine ensuite dit les formules sacrées
Par quoi tous nos péchés nous sont remis, et puis,
Prenant l'Hostie avec ses deux mains timorées,

Sur la langue du Roi la déposa. Tous bruits
Se sont tus, et la Cour, pliant dans la détresse,
Pria, muette et pâle, et nul n'a su depuis

Si sa prière fut sincère ou bien traîtresse.
— Qui dira les pensers obscurs que protégea
Ce silence, brouillard complice qui se dresse ? —

Ayant communié, le Roi se replongea
Dans l'ampleur des coussins, et la béatitude
De l'Absolution reçue ouvrant déjà

L'œil de son âme au jour clair de la certitude,
Épanouit ses traits en un sourire exquis
Qui tenait de la fièvre et de la quiétude.

Et tandis qu'alentour ducs, comtes et marquis,
Pleins d'angoisses, fichaient leurs yeux sous la courtine,
L'âme du Roi mourant montait aux cieux conquis.

Puis le râle des morts hurla dans la poitrine
De l'auguste malade avec des sursauts fous :
Tel l'ouragan passe à travers une ruine.

Et puis, plus rien ; et puis, sortant par mille trous,
Ainsi que des serpents frileux de leur repaire,
Sur le corps froid les vers se mêlèrent aux poux.

— Philippe Deux était à la droite du Père.

ÉPILOGUE

Le soleil, moins ardent, luit clair au ciel moins dense.
Balancés par un vent automnal et berceur,
Les rosiers du jardin s'inclinent en cadence.
L'atmosphère ambiante a des baisers de sœur.

La Nature a quitté pour cette fois son trône
De splendeur, d'ironie et de sérénité :
Clémente, elle descend, par l'ampleur de l'air jaune,
Vers l'homme, son sujet pervers et révolté.

Du pan de son manteau que l'abîme constelle,
Elle daigne essuyer les moiteurs de nos fronts,
Et son âme éternelle et sa forme immortelle
Donnent calme et vigueur à nos cœurs mous et prompts.

Le frais balancement des ramures chenues,
L'horizon élargi plein de vagues chansons,
Tout, jusqu'au vol joyeux des oiseaux et des nues,
Tout, aujourd'hui, console et délivre. — Pensons.

II

Donc, c'en est fait. Ce livre est clos. Chères Idées
Qui rayiez mon ciel gris de vos ailes de feu
Dont le vent caressait mes tempes obsédées,
Vous pouvez revoler devers l'Infini bleu !

Et toi, Vers qui tintais, et toi, Rime sonore,
Et vous, Rhythmes chanteurs, et vous, délicieux
Ressouvenirs, et vous, Rêves, et vous encore,
Images qu'évoquaient mes désirs anxieux,

Il faut nous séparer. Jusqu'aux jours plus propices
Où nous réunira l'Art, notre maître, adieu,
Adieux, doux compagnons, adieu, charmants complices !
Vous pouvez revoler devers l'Infini bleu.

Aussi bien, nous avons fourni notre carrière
Et le jeune étalon de notre bon plaisir,
Tout affolé qu'il est de sa course première,
A besoin d'un peu d'ombre et de quelque loisir.

— Car toujours nous t'avons fixée, ô Poésie,
Notre astre unique et notre unique passion,
T'ayant seule pour guide et compagne choisie,
Mère, et nous méfiant de l'Inspiration.

Ah ! l'Inspiration superbe et souveraine,
L'Égérie aux regards lumineux et profonds,
Le Genium commode et l'Erato soudaine,
L'Ange des vieux tableaux avec des ors au fond,

La Muse, dont la voix est puissante sans doute,
Puisqu'elle fait d'un coup dans les premiers cerveaux,

Comme ces pissenlits dont s'émaille la route,
Pousser tout un jardin de poëmes nouveaux,

La Colombe, le Saint-Esprit, le saint Délire,
Les Troubles opportuns, les Transports complaisants,
Gabriel et son luth, Apollon et sa lyre,
Ah ! l'Inspiration, on l'invoque à seize ans !

Ce qu'il nous faut à nous, les Suprêmes Poëtes
Qui vénérons les Dieux et qui n'y croyons pas,
À nous dont nul rayon n'auréola les têtes,
Dont nulle Béatrix n'a dirigé les pas,

À nous qui ciselons les mots comme des coupes
Et qui faisons des vers émus très froidement,
À nous qu'on ne voit point les soirs aller par groupes
Harmonieux au bords des *lacs* et nous pâmant,

Ce qu'il nous faut, à nous, c'est, aux lueurs des lampes,
La science conquise et le sommeil dompté,
C'est le front dans les mains du vieux Faust des estampes,
C'est l'Obstination et c'est la Volonté !

C'est la Volonté sainte, absolue, éternelle,
Cramponnée au projet comme un noble condor
Aux flancs fumants de peur d'un buffle, et d'un coup
    d'aile
Emportant son trophée à travers les cieux d'or !

Ce qu'il nous faut à nous, c'est l'étude sans trêve,
C'est l'effort inouï, le combat nonpareil,
C'est la nuit, l'âpre nuit du travail, d'où se lève
Lentement, lentement, l'Œuvre, ainsi qu'un soleil !

Libre à nos Inspirés, cœurs qu'une œillade enflamme,
D'abandonner leur être aux vents comme un bouleau ;
Pauvres gens ! l'Art n'est pas d'éparpiller son âme :
Est-elle en marbre, ou non, la Vénus de Milo ?

Nous donc, sculptons avec le ciseau des Pensées
Le bloc vierge du Beau, Paros immaculé,

Et faisons-en surgir sous nos mains empressées
Quelque pure statue au péplos étoilé,

Afin qu'un jour, frappant de rayons gris et roses
Le chef-d'œuvre serein, comme un nouveau Memnon,
L'Aube-Postérité, fille des Temps moroses,
Fasse dans l'air futur retentir notre nom !

Fêtes galantes

CLAIR DE LUNE

Votre âme est un paysage choisi
Que vont charmant masques et bergamasques
Jouant du luth et dansant et quasi
Tristes sous leurs déguisements fantasques.

Tout en chantant sur le mode mineur
L'amour vainqueur et la vie opportune,
Ils n'ont pas l'air de croire à leur bonheur
Et leur chanson se mêle au clair de lune,

Au calme clair de lune triste et beau,
Qui fait rêver les oiseaux dans les arbres
Et sangloter d'extase les jets d'eau,
Les grands jets d'eau sveltes parmi les marbres.

PANTOMIME

Pierrot, qui n'a rien d'un Clitandre,
Vide un flacon sans plus attendre,
Et, pratique, entame un pâté.

Cassandre, au fond de l'avenue,
Verse une larme méconnue
Sur son neveu déshérité.

Ce faquin d'Arlequin combine
L'enlèvement de Colombine
Et pirouette quatre fois.

Colombine rêve, surprise
De sentir un cœur dans la brise
Et d'entendre en son cœur des voix.

SUR L'HERBE

L'abbé divague. — Et toi, marquis,
Tu mets de travers ta perruque.
— Ce vieux vin de Chypre est exquis
Moins, Camargo, que votre nuque.

— Ma flamme... — Do, mi, sol, la, si.
L'abbé, ta noirceur se dévoile !
— Que je meure, Mesdames, si
Je ne vous décroche une étoile !

— Je voudrais être petit chien !
— Embrassons nos bergères l'une
Après l'autre. — Messieurs, eh bien ?
— Do, mi, sol. — Hé ! bonsoir, la Lune !

L'ALLÉE

Fardée et peinte comme au temps des bergeries,
Frêle parmi les nœuds énormes de rubans,
Elle passe, sous les ramures assombries,
Dans l'allée où verdit la mousse des vieux bancs,
Avec mille façons et mille afféteries
Qu'on garde d'ordinaire aux perruches chéries.
Sa longue robe à queue est bleue, et l'éventail
Qu'elle froisse en ses doigts fluets aux larges bagues
S'égaie en des sujets érotiques, si vagues
Qu'elle sourit, tout en rêvant, à maint détail.
— Blonde en somme. Le nez mignon avec la bouche
Incarnadine, grasse et divine d'orgueil
Inconscient. — D'ailleurs, plus fine que la mouche
Qui ravive l'éclat un peu niais de l'œil.

À LA PROMENADE

Le ciel si pâle et les arbres si grêles
Semblent sourire à nos costumes clairs
Qui vont flottant légers, avec des airs
De nonchalance et des mouvements d'ailes.

Et le vent doux ride l'humble bassin,
Et la lueur du soleil qu'atténue
L'ombre des bas tilleuls de l'avenue
Nous parvient bleue et mourante à dessein.

Trompeurs exquis et coquettes charmantes,
Cœurs tendres, mais affranchis du serment,
Nous devisons délicieusement,
Et les amants lutinent les amantes,

De qui la main imperceptible sait
Parfois donner un soufflet, qu'on échange
Contre un baiser sur l'extrême phalange
Du petit doigt, et comme la chose est

Immensément excessive et farouche,
On est puni par un regard très sec,
Lequel contraste, au demeurant, avec
La moue assez clémente de la bouche.

DANS LA GROTTE

Là ! Je me tue à vos genoux !
Car ma détresse est infinie,
Et la tigresse épouvantable d'Hyrcanie
Est une agnelle au prix de vous.

Oui, céans, cruelle Clymène,
Ce glaive qui, dans maints combats,
Mit tant de Scipions et de Cyrus à bas,
Va finir ma vie et ma peine !

Ai-je même besoin de lui
Pour descendre aux Champs-Élysées ?
Amour perça-t-il pas de flèches aiguisées
Mon cœur, dès que votre œil m'eut lui ?

LES INGÉNUS

Les hauts talons luttaient avec les longues jupes,
En sorte que, selon le terrain et le vent,
Parfois luisaient des bas de jambes, trop souvent
Interceptés ! — et nous aimions ce jeu de dupes.

Parfois aussi le dard d'un insecte jaloux
Inquiétait le col des belles sous les branches,
Et c'étaient des éclairs soudains de nuques blanches,
Et ce régal comblait nos jeunes yeux de fous.

Le soir tombait, un soir équivoque d'automne :
Les belles, se pendant rêveuses à nos bras,
Dirent alors des mots si spécieux, tout bas,
Que notre âme, depuis ce temps, tremble et s'étonne.

CORTÈGE

Un singe en veste de brocart
Trotte et gambade devant elle
Qui froisse un mouchoir de dentelle
Dans sa main gantée avec art,

Tandis qu'un négrillon tout rouge
Maintient à tour de bras les pans
De sa lourde robe en suspens,
Attentif à tout pli qui bouge ;

Le singe ne perd pas des yeux
La gorge blanche de la dame,
Opulent trésor que réclame
Le torse nu de l'un des dieux ;

Le négrillon parfois soulève
Plus haut qu'il ne faut, l'aigrefin,
Son fardeau somptueux, afin
De voir ce dont la nuit il rêve ;

Elle va par les escaliers,
Et ne paraît pas davantage
Sensible à l'insolent suffrage
De ses animaux familiers.

LES COQUILLAGES

Chaque coquillage incrusté
Dans la grotte où nous nous aimâmes
A sa particularité.

L'un a la pourpre de nos âmes
Dérobée au sang de nos cœurs
Quand je brûle et que tu t'enflammes ;

Cet autre affecte tes langueurs
Et tes pâleurs alors que, lasse,
Tu m'en veux de mes yeux moqueurs ;

Celui-ci contrefait la grâce
De ton oreille, et celui-là
Ta nuque rose, courte et grasse ;

Mais un, entre autres, me troubla.

EN PATINANT

Nous fûmes dupes, vous et moi,
De manigances mutuelles,
Madame, à cause de l'émoi
Dont l'Été férut nos cervelles.

Le Printemps avait bien un peu
Contribué, si ma mémoire
Est bonne, à brouiller notre jeu,
Mais que d'une façon moins noire !

Car au printemps l'air est si frais
Qu'en somme les roses naissantes,
Qu'Amour semble entr'ouvrir exprès,
Ont des senteurs presque innocentes ;

Et même les lilas ont beau
Pousser leur haleine poivrée
Dans l'ardeur du soleil nouveau :
Cet excitant au plus récrée,

Tant le zéphir souffle, moqueur,
Dispersant l'aphrodisiaque
Effluve, en sorte que le cœur
Chôme et que même l'esprit vaque,

Et qu'émoustillés, les cinq sens
Se mettent alors de la fête,
Mais seuls, tout seuls, bien seuls et sans
Que la crise monte à la tête.

Ce fut le temps, sous de clairs ciels,
(Vous en souvenez-vous, Madame ?)
Des baisers superficiels
Et des sentiments à fleur d'âme.

Exempts de folles passions,
Pleins d'une bienveillance amène,
Comme tous deux nous jouissions
Sans enthousiasme — et sans peine !

Heureux instants ! — mais vint l'Été :
Adieu, rafraîchissantes brises !
Un vent de lourde volupté
Investit nos âmes surprises.

Des fleurs aux calices vermeils
Nous lancèrent leurs odeurs mûres,
Et partout les mauvais conseils
Tombèrent sur nous des ramures.

Nous cédâmes à tout cela,
Et ce fut un bien ridicule
Vertigo qui nous affola
Tant que dura la canicule.

Rires oiseux, pleurs sans raisons,
Mains indéfiniment pressées,
Tristesses moites, pâmoisons,
Et quel vague dans les pensées !

L'Automne, heureusement, avec
Son jour froid et ses bises rudes,
Vint nous corriger, bref et sec,
De nos mauvaises habitudes,

Et nous induisit brusquement
En l'élégance réclamée
De tout irréprochable amant
Comme de toute digne aimée...

Or, c'est l'Hiver, Madame, et nos
Parieurs tremblent pour leur bourse,
Et déjà les autres traîneaux
Osent nous disputer la course.

Les deux mains dans votre manchon,
Tenez-vous bien sur la banquette
Et filons ! — et bientôt Fanchon
Nous fleurira — quoi qu'on caquette !

FANTOCHES

Scaramouche et Pulcinella
Qu'un mauvais dessein rassembla
Gesticulent, noirs sur la lune.

Cependant l'excellent docteur
Bolonais cueille avec lenteur
Des simples parmi l'herbe brune.

Lors sa fille, piquant minois,
Sous la charmille, en tapinois,
Se glisse, demi-nue, en quête

De son beau pirate espagnol,
Dont un langoureux rossignol
Clame la détresse à tue-tête.

abrite-mais doucement
roses-
vent qui faible
passe -
l'odeur des 2 parfum
va passer aussi

CYTHÈRE

shelter —

1 Un pavillon à claires-voies   A
2 Abrite doucement nos joies   A
3 Qu'éventent des rosiers amis ;   B
  to lay open

4 L'odeur des roses, faible, grâce   C
5 Au vent léger d'été qui passe,   c
6 Se mêle aux parfums qu'elle a mis ;   B

7 Comme ses yeux l'avaient promis,   B
8 Son courage est grand et sa lèvre   P   passe
9 Communique une exquise fièvre ;   D   aussi

10 Et l'Amour comblant tout, hormis   B
   satisfying
11 La faim, sorbets et confitures   E
12 Nous préservent des courbatures.   E
   aches

dénivellation
la que —
mais c'est
la nourriture,
pas l'Amour
qui le fait

il faut plus
que l'amour

110

EN BATEAU

L'étoile du berger tremblote
Dans l'eau plus noire et le pilote
Cherche un briquet dans sa culotte.

C'est l'instant, Messieurs, ou jamais,
D'être audacieux, et je mets
Mes deux mains partout désormais !

Le chevalier Atys, qui gratte
Sa guitare, à Chloris l'ingrate
Lance une œillade scélérate.

L'abbé confesse bas Églé,
Et ce vicomte déréglé
Des champs donne à son cœur la clé.

Cependant la lune se lève
Et l'esquif en sa course brève
File gaîment sur l'eau qui rêve.

LE FAUNE

Un vieux faune de terre cuite
Rit au centre des boulingrins,
Présageant sans doute une suite
Mauvaise à ces instants sereins

Qui m'ont conduit et t'ont conduite,
— Mélancoliques pèlerins, —
Jusqu'à cette heure dont la fuite
Tournoie au son des tambourins.

MANDOLINE

Les donneurs de sérénades
Et les belles écouteuses
Échangent des propos fades
Sous les ramures chanteuses.

C'est Tircis et c'est Aminte,
Et c'est l'éternel Clitandre,
Et c'est Damis qui pour mainte
Cruelle fait maint vers tendre.

Leurs courtes vestes de soie,
Leurs longues robes à queues,
Leur élégance, leur joie
Et leurs molles ombres bleues

Tourbillonnent dans l'extase
D'une lune rose et grise,
Et la mandoline jàse
Parmi les frissons de brise.

À CLYMÈNE

Mystiques barcarolles,
Romances sans paroles,
Chère, puisque tes yeux,
   Couleur des cieux,

Puisque ta voix, étrange
Vision qui dérange
Et trouble l'horizon
   De ma raison,

Puisque l'arome insigne
De ta pâleur de cygne,
Et puisque la candeur
   De ton odeur,

Ah ! puisque tout ton être,
Musique qui pénètre,
Nimbes d'anges défunts,
   Tons et parfums,

A, sur d'almes cadences,
En ses correspondances
Induit mon cœur subtil,
   Ainsi soit-il !

LETTRE

Éloigné de vos yeux, Madame, par des soins
Impérieux (j'en prends tous les dieux à témoins),
Je languis et me meurs, comme c'est ma coutume
En pareil cas, et vais, le cœur plein d'amertume,
À travers des soucis où votre ombre me suit,
Le jour dans mes pensers, dans mes rêves la nuit,
Et la nuit et le jour, adorable Madame !
Si bien qu'enfin, mon corps faisant place à mon âme,
Je deviendrai fantôme à mon tour aussi, moi,
Et qu'alors, et parmi le lamentable émoi
Des enlacements vains et des désirs sans nombre,
Mon ombre se fondra pour jamais en votre ombre.

En attendant, je suis, très chère, ton valet.

Tout se comporte-t-il là-bas comme il te plaît,
Ta perruche, ton chat, ton chien ? La compagnie
Est-elle toujours belle, et cette Silvanie
Dont j'eusse aimé l'œil noir si le tien n'était bleu,
Et qui parfois me fit des signes, palsambleu !
Te sert-elle toujours de douce confidente ?

Or, Madame, un projet impatient me hante
De conquérir le monde et tous ses trésors pour
Mettre à vos pieds ce gage — indigne — d'un amour
Égal à toutes les flammes les plus célèbres

Qui des grands cœurs aient fait resplendir les ténèbres.
Cléopâtre fut moins aimée, oui, sur ma foi !
Par Marc-Antoine et par César que vous par moi,
N'en doutez pas, Madame, et je saurai combattre
Comme César pour un sourire, ô Cléopâtre,
Et comme Antoine fuir au seul prix d'un baiser.

Sur ce, très chère, adieu. Car voilà trop causer,
Et le temps que l'on perd à lire une missive
N'aura jamais valu la peine qu'on l'écrive.

LES INDOLENTS

— Bah ! malgré les destins jaloux,
Mourons ensemble, voulez-vous ?
— La proposition est rare.

— Le rare est le bon. Donc mourons
Comme dans les Décamérons.
— Hi ! hi ! hi ! quel amant bizarre !

— Bizarre, je ne sais. Amant
Irréprochable, assurément.
Si vous voulez, mourons ensemble ?

— Monsieur, vous raillez mieux encor
Que vous n'aimez, et parlez d'or ;
Mais taisons-nous, si bon vous semble ! —

Si bien que ce soir-là Tircis
Et Dorimène, à deux assis
Non loin de deux silvains hilares,

Eurent l'inexpiable tort
D'ajourner une exquise mort.
Hi ! hi ! hi ! les amants bizarres.

COLOMBINE

Léandre le sot,
Pierrot qui d'un saut
      De puce
Franchit le buisson,
Cassandre sous son
      Capuce,

Arlequin aussi,
Cet aigrefin si
      Fantasque
Aux costumes fous,
Ses yeux luisant sous
      Son masque,

— Do, mi, sol, mi, fa, —
Tout ce monde va,
      Rit, chante
Et danse devant
Une belle enfant
      Méchante

Dont les yeux pervers
Comme les yeux verts
      Des chattes
Gardent ses appas

Et disent : « A bas
      Les pattes ! »

— Eux ils vont toujours !
Fatidique cours
      Des astres,
Oh ! dis-moi vers quels
Mornes ou cruels
      Désastres

L'implacable enfant,
Preste et relevant
      Ses jupes,
La rose au chapeau,
Conduit son troupeau
      De dupes ?

L'AMOUR PAR TERRE

Le vent de l'autre nuit a jeté bas l'Amour
Qui, dans le coin le plus mystérieux du parc,
Souriait en bandant malignement son arc,
Et dont l'aspect nous fit tant songer tout un jour !

Le vent de l'autre nuit l'a jeté bas ! Le marbre
Au souffle du matin tournoie, épars. C'est triste
De voir le piédestal, où le nom de l'artiste
Se lit péniblement parmi l'ombre d'un arbre,

Oh ! c'est triste de voir debout le piédestal
Tout seul ! Et des pensers mélancoliques vont
Et viennent dans mon rêve où le chagrin profond
Évoque un avenir solitaire et fatal.

Oh ! c'est triste ! — Et toi-même, est-ce pas ! es touchée
D'un si dolent tableau, bien que ton œil frivole
S'amuse au papillon de pourpre et d'or qui vole
Au-dessus des débris dont l'allée est jonchée.

EN SOURDINE

Calmes dans le demi-jour
Que les branches hautes font,
Pénétrons bien notre amour
De ce silence profond.

Fondons nos âmes, nos cœurs
Et nos sens extasiés,
Parmi les vagues langueurs
Des pins et des arbousiers.

Ferme tes yeux à demi,
Croise tes bras sur ton sein,
Et de ton cœur endormi
Chasse à jamais tout dessein.

Laissons-nous persuader
Au souffle berceur et doux
Qui vient à tes pieds rider
Les ondes de gazon roux.

Et quand, solennel, le soir
Des chênes noirs tombera,
Voix de notre désespoir,
Le rossignol chantera.

COLLOQUE SENTIMENTAL

Dans le vieux parc solitaire et glacé,
Deux formes ont tout à l'heure passé.

Leurs yeux sont morts et leurs lèvres sont molles,
Et l'on entend à peine leurs paroles.

Dans le vieux parc solitaire et glacé,
Deux spectres ont évoqué le passé.

— Te souvient-il de notre extase ancienne ?
— Pourquoi voulez-vous donc qu'il m'en souvienne ?

— Ton cœur bat-il toujours à mon seul nom ?
Toujours vois-tu mon âme en rêve ? — Non.

— Ah ! les beaux jours de bonheur indicible
Où nous joignions nos bouches ! — C'est possible.

— Qu'il était bleu, le ciel, et grand, l'espoir !
— L'espoir a fui, vaincu, vers le ciel noir.

Tels ils marchaient dans les avoines folles,
Et la nuit seule entendit leurs paroles.

Romances sans paroles

ARIETTES OUBLIÉES

I

Le vent dans la plaine
Suspend son haleine.
(Favart.)

C'est l'extase langoureuse,
C'est la fatigue amoureuse,
C'est tous les frissons des bois
Parmi l'étreinte des brises,
C'est, vers les ramures grises,
Le chœur des petites voix.

Ô le frêle et frais murmure !
Cela gazouille et susurre,
Cela ressemble au cri doux
Que l'herbe agitée expire...
Tu dirais, sous l'eau qui vire,
Le roulis sourd des cailloux.

Cette âme qui se lamente
En cette plainte dormante
C'est la nôtre, n'est-ce pas ?
La mienne, dis, et la tienne,
Dont s'exhale l'humble antienne
Par ce tiède soir, tout bas ?

II

Je devine, à travers un murmure,
Le contour subtil des voix anciennes
Et dans les lueurs musiciennes,
Amour pâle, une aurore future !

Et mon âme et mon cœur en délires
Ne sont plus qu'une espèce d'œil double
Où tremblote à travers un jour trouble
L'ariette, hélas ! de toutes lyres !

Ô mourir de cette mort seulette
Que s'en vont, — cher amour qui t'épeures, —
Balançant jeunes et vieilles heures !
Ô mourir de cette escarpolette !

III

Il pleut doucement sur la ville.
(Arthur Rimbaud.)

Il pleure dans mon cœur
Comme il pleut sur la ville ;
Quelle est cette langueur
Qui pénètre mon cœur ?

Ô bruit doux de la pluie
Par terre et sur les toits !
Pour un cœur qui s'ennuie
Ô le chant de la pluie !

Il pleure sans raison
Dans ce cœur qui s'écœure.
Quoi ! nulle trahison ?...
Ce deuil est sans raison.

C'est bien la pire peine
De ne savoir pourquoi
Sans amour et sans haine
Mon cœur a tant de peine !

IV

De la douceur, de la douceur, de la douceur.

(Inconnu.)

Il faut, voyez-vous, nous pardonner les choses :
De cette façon nous serons bien heureuses
Et si notre vie a des instants moroses,
Du moins nous serons, n'est-ce pas ? deux pleureuses.

Ô que nous mêlions, âmes sœurs que nous sommes,
À nos vœux confus la douceur puérile
De cheminer loin des femmes et des hommes,
Dans le frais oubli de ce qui nous exile !

Soyons deux enfants, soyons deux jeunes filles
Éprises de rien et de tout étonnées
Qui s'en vont pâlir sous les chastes charmilles
Sans même savoir qu'elles sont pardonnées.

V

Son joyeux, importun, d'un clave-
cin sonore.

(Pétrus Borel.)

Le piano que baise une main frêle
Luit dans le soir rose et gris vaguement,
Tandis qu'avec un très léger bruit d'aile
Un air bien vieux, bien faible et bien charmant
Rôde discret, épeuré quasiment,
Par le boudoir longtemps parfumé d'Elle.

Qu'est-ce que c'est que ce berceau soudain
Qui lentement dorlote mon pauvre être ?
Que voudrais-tu de moi, doux Chant badin ?
Qu'as-tu voulu, fin refrain incertain
Qui vas tantôt mourir vers la fenêtre
Ouverte un peu sur le petit jardin ?

C'est le chien de Jean de Nivelle
Qui mord sous l'œil même du Guet
Le chat de la mère Michel.
François-les-bas-bleus s'en égaie.

La Lune à l'écrivain public
Dispense sa lumière obscure
Où Médor avec Angélique
Verdissent sur le pauvre mur.

Et voici venir La Ramée
Sacrant, en bon soldat du Roy.
Sous son habit blanc mal famé
Son cœur ne se tient pas de joie :

Car la Boulangère... — Elle ? — Oui dam !
Bernant Lustucru, son vieil homme,
A tantôt couronné sa flamme...
Enfants, *Dominus vobiscum !*

Place ! En sa longue robe bleue
Toute en satin qui fait frou-frou,
C'est une impure, palsambleu !
Dans sa chaise qu'il faut qu'on loue,

Fût-on philosophe ou grigou,
Car tant d'or s'y relève en bosse
Que ce luxe insolent bafoue
Tout le papier de Monsieur Los !

Arrière, robin crotté ! place,
Petit courtaud, petit abbé,
Petit poète jamais las
De la rime non attrapée !...

Voici que la nuit vraie arrive...
Cependant jamais fatigué
D'être inattentif et naïf,
François-les-bas-bleus s'en égaie.

VII

Ô triste, triste était mon âme
À cause, à cause d'une femme.

Je ne me suis pas consolé
Bien que mon cœur s'en soit allé,

Bien que mon cœur, bien que mon âme
Eussent fui loin de cette femme.

Je ne me suis pas consolé,
Bien que mon cœur s'en soit allé.

Et mon cœur, mon cœur trop sensible
Dit à mon âme : Est-il possible,

Est-il possible, — le fût-il, —
Ce fier exil, ce triste exil ?

Mon âme dit à mon cœur : Sais-je
Moi-même que nous veut ce piège

D'être présents bien qu'exilés,
Encore que loin en allés ?

VIII

Dans l'interminable
Ennui de la plaine
La neige incertaine
Luit comme du sable.

Le ciel est de cuivre
Sans lueur aucune.
On croirait voir vivre
Et mourir la lune.

Comme des nuées
Flottent gris les chênes
Des forêts prochaines
Parmi les buées.

Le ciel est de cuivre
Sans lueur aucune.
On croirait voir vivre
Et mourir la lune.

Corneille poussive
Et vous, les loups maigres,
Par ces bises aigres
Quoi donc vous arrive ?

Dans l'interminable
Ennui de la plaine
La neige incertaine
Luit comme du sable.

IX

Le rossignol qui du haut d'une branche se regarde dedans, croit être tombé dans la rivière. Il est au sommet d'un chêne et toutefois il a peur de se noyer.

(Cyrano de Bergerac.)

L'ombre des arbres dans la rivière embrumée
    Meurt comme de la fumée
Tandis qu'en l'air, parmi les ramures réelles,
    Se plaignent les tourterelles.

Combien, ô voyageur, ce paysage blême
    Te mira blême toi-même,
Et que tristes pleuraient dans les hautes feuillées
    Tes espérances noyées !

Mai, juin 72.

PAYSAGES BELGES

« *Conquestes du Roy.* »
(Vieilles estampes.)

WALCOURT

Briques et tuiles,
Ô les charmants
Petits asiles
Pour les amants !

Houblons et vignes
Feuilles et fleurs,
Tentes insignes
Des francs buveurs !

Guinguettes claires,
Bières, clameurs,
Servantes chères
À tous fumeurs !

Gares prochaines,
Gais chemins grands...
Quelles aubaines,
Bons juifs-errants !

Juillet 72.

CHARLEROI

Dans l'herbe noire
Les Kobolds vont.
Le vent profond
Pleure, on veut croire.

Quoi donc se sent ?
L'avoine siffle.
Un buisson gifle
L'œil au passant.

Plutôt des bouges
Que des maisons.
Quels horizons
De forges rouges !

On sent donc quoi ?
Des gares tonnent,
Les yeux s'étonnent,
Où Charleroi ?

Parfums sinistres !
Qu'est-ce que c'est ?
Quoi bruissait
Comme des sistres ?

Sites brutaux !
Oh ! votre haleine,
Sueur humaine,
Cris des métaux !

Dans l'herbe noire
Les Kobolds vont.
Le vent profond
Pleure, on veut croire.

BRUXELLES

SIMPLES FRESQUES

I

La fuite est verdâtre et rose
Des collines et des rampes
Dans un demi-jour de lampes
Qui vient brouiller toute chose.

L'or, sur les humbles abîmes,
Tout doucement s'ensanglante.
Des petits arbres sans cimes
Où quelque oiseau faible chante.

Triste à peine tant s'effacent
Ces apparences d'automne,·
Toutes mes langueurs rêvassent,
Que berce l'air monotone.

II

L'allée est sans fin
Sous le ciel, divin
D'être pâle ainsi :

Sais-tu qu'on serait
Bien sous le secret
De ces arbres-ci ?

Des messieurs bien mis,
Sans nul doute amis
Des Royers-Collards,
Vont vers le château :
J'estimerais beau
D'être ces vieillards.

Le château, tout blanc
Avec, à son flanc
Le soleil couché,
Les champs à l'entour :
Oh ! que notre amour
N'est-il là niché !

        Estaminet du Jeune Renard, août 72.

BRUXELLES

CHEVAUX DE BOIS

> *Par saint Gille,*
> *Viens-nous-en,*
> *Mon agile*
> *Alezan !*
> (V. Hugo.)

Tournez, tournez, bons chevaux de bois,
Tournez cent tours, tournez mille tours,
Tournez souvent et tournez toujours,
Tournez, tournez au son des hautbois.

Le gros soldat, la plus grosse bonne
Sont sur vos dos comme dans leur chambre,
Car en ce jour au bois de la Cambre
Les maîtres sont tous deux en personne.

Tournez, tournez, chevaux de leur cœur,
Tandis qu'autour de tous vos tournois
Clignote l'œil du filou sournois,
Tournez au son du piston vainqueur.

C'est ravissant comme ça vous soûle
D'aller ainsi dans ce cirque bête :
Bien dans le ventre et mal dans la tête,
Du mal en masse et du bien en foule,

141

Tournez, tournez sans qu'il soit besoin
D'user jamais de nuls éperons
Pour commander à vos galops ronds,
Tournez, tournez, sans espoir de foin

Et dépêchez, chevaux de leur âme :
Déjà voici que la nuit qui tombe
Va réunir pigeon et colombe
Loin de la foire et loin de madame.

Tournez, tournez ! le ciel en velours
D'astres en or se vêt lentement.
Voici partir l'amante et l'amant.
Tournez au son joyeux des tambours !

Champ de foire de Saint-Gilles, août 72.

MALINES

Vers les prés le vent cherche noise
Aux girouettes, détail fin
Du château de quelque échevin,
Rouge de brique et bleu d'ardoise,
Vers les prés clairs, les prés sans fin...

Comme les arbres des féeries,
Des frênes, vagues frondaisons,
Échelonnent mille horizons
À ce Sahara de prairies,
Trèfle, luzerne et blancs gazons.

Les wagons filent en silence
Parmi ces sites apaisés.
Dormez, les vaches ! Reposez,
Doux taureaux de la plaine immense.
Sous vos cieux à peine irisés !

Le train glisse sans un murmure,
Chaque wagon est un salon
Où l'on cause bas et d'où l'on
Aime à loisir cette nature
Faite à souhait pour Fénelon.

Août 72.

BIRDS IN THE NIGHT

Vous n'avez pas eu toute patience :
Cela se comprend par malheur, de reste
Vous êtes si jeune ! Et l'insouciance,
C'est le lot amer de l'âge céleste !

Vous n'avez pas eu toute la douceur.
Cela par malheur d'ailleurs se comprend ;
Vous êtes si jeune, ô ma froide sœur,
Que votre cœur doit être indifférent !

Aussi, me voici plein de pardons chastes,
Non, certes ! joyeux, mais très calme en somme
Bien que je déplore en ces mois néfastes
D'être, grâce à vous, le moins heureux homme.

Et vous voyez bien que j'avais raison
Quand je vous disais, dans mes moments noirs,
Que vos yeux, foyers de mes vieux espoirs,
Ne couvaient plus rien que la trahison.

Vous juriez alors que c'était mensonge
Et votre regard qui mentait lui-même
Flambait comme un feu mourant qu'on prolonge,
Et de votre voix vous disiez : « Je t'aime ! »

Hélas ! on se prend toujours au désir
Qu'on a d'être heureux malgré la saison...
Mais ce fut un jour plein d'amer plaisir
Quand je m'aperçus que j'avais raison !

Aussi bien pourquoi me mettrais-je à geindre ?
Vous ne m'aimiez pas, l'affaire est conclue,
Et, ne voulant pas qu'on ose me plaindre,
Je souffrirai d'une âme résolue.

Oui ! je souffrirai, car je vous aimais !
Mais je souffrirai comme un bon soldat
Blessé qui s'en va dormir à jamais
Plein d'amour pour quelque pays ingrat.

Vous qui fûtes ma Belle, ma Chérie,
Encor que de vous vienne ma souffrance,
N'êtes-vous donc pas toujours ma Patrie,
Aussi jeune, aussi folle que la France ?

Or, je ne veux pas — le puis-je d'abord ? —
Plonger dans ceci mes regards mouillés.
Pourtant mon amour que vous croyez mort
A peut-être enfin les yeux dessillés.

Mon amour qui n'est plus que souvenance,
Quoique sous vos coups il saigne et qu'il pleure
Encore et qu'il doive, à ce que je pense,
Souffrir longtemps jusqu'à ce qu'il en meure,

Peut-être a raison de croire entrevoir
En vous un remords (qui n'est pas banal)
Et d'entendre dire, en son désespoir,
À votre mémoire : « Ah ! fi ! que c'est mal ! »

Je vous vois encor. J'entr'ouvris la porte.
Vous étiez au lit comme fatiguée.

Mais, ô corps léger que l'amour emporte,
Vous bondîtes nue, éplorée et gaie.

Ô quels baisers, quels enlacements fous !
J'en riais moi-même à travers mes pleurs.
Certes, ces instants seront, entre tous,
Mes plus tristes, mais aussi mes meilleurs.

Je ne veux revoir de votre sourire
Et de vos bons yeux en cette occurrence
Et de vous enfin, qu'il faudrait maudire,
Et du piège exquis, rien que l'apparence.

Je vous vois encore ! En robe d'été
Blanche et jaune avec des fleurs de rideaux.
Mais vous n'aviez plus l'humide gaîté
Du plus délirant de tous nos tantôts.

La petite épouse et la fille aînée
Était reparue avec la toilette
Et c'était déjà notre destinée
Qui me regardait sous votre voilette.

Soyez pardonnée ! Et c'est pour cela
Que je garde, hélas ! avec quelque orgueil,
En mon souvenir, qui vous cajola,
L'éclair de côté que coulait votre œil.

Par instants je suis le Pauvre Navire
Qui court démâté parmi la tempête
Et, ne voyant pas Notre-Dame luire,
Pour l'engouffrement en priant s'apprête.

Par instants je meurs la mort du Pécheur
Qui se sait damné s'il n'est confessé
Et, perdant l'espoir de nul confesseur,
Se tord dans l'Enfer, qu'il a devancé.

Ô mais ! par instants, j'ai l'extase rouge
Du premier chrétien sous la dent rapace,
Qui rit à Jésus témoin, sans que bouge
Un poil de sa chair, un nerf de sa face !

Bruxelles, Londres, septembre-octobre 72.

AQUARELLES

GREEN

Voici des fruits, des fleurs, des feuilles et des branches
Et puis voici mon cœur qui ne bat que pour vous.
Ne le déchirez pas avec vos deux mains blanches
Et qu'à vos yeux si beaux l'humble présent soit doux.

J'arrive tout couvert encore de rosée
Que le vent du matin vient glacer à mon front.
Souffrez que ma fatigue à vos pieds reposée
Rêve des chers instants qui la délasseront.

Sur votre jeune sein laissez rouler ma tête
Toute sonore encor de vos derniers baisers ;
Laissez-la s'apaiser de la bonne tempête,
Et que je dorme un peu puisque vous reposez.

SPLEEN

Les roses étaient toutes rouges
Et les lierres étaient tout noirs.

Chère, pour peu que tu te bouges,
Renaissent tous mes désespoirs.

Le ciel était trop bleu, trop tendre,
La mer trop verte et l'air trop doux.

Je crains toujours, — ce qu'est d'attendre ! —
Quelque fuite atroce de vous.

Du houx à la feuille vernie
Et du luisant buis je suis las,

Et de la campagne infinie
Et de tout, fors de vous, hélas !

STREETS

I

Dansons la gigue !

J'aimais surtout ses jolis yeux,
Plus clairs que l'étoile des cieux,
J'aimais ses yeux malicieux.

Dansons la gigue !

Elle avait des façons vraiment
De désoler un pauvre amant,
Que c'en était vraiment charmant !

Dansons la gigue !

Mais je trouve encore meilleur
Le baiser de sa bouche en fleur
Depuis qu'elle est morte à mon cœur.

Dansons la gigue !

Je me souviens, je me souviens
Des heures et des entretiens,
Et c'est le meilleur de mes biens.

Dansons la gigue !

Soho.

Ô la rivière dans la rue !
Fantastiquement apparue
Derrière un mur haut de cinq pieds,
Elle roule sans un murmure
Son onde opaque et pourtant pure
Par les faubourgs pacifiés.

La chaussée est très large, en sorte
Que l'eau jaune comme une morte
Dévale ample et sans nuls espoirs
De rien refléter que la brume,
Même alors que l'aurore allume
Les cottages jaunes et noirs.

Paddington.

CHILD WIFE

Vous n'avez rien compris à ma simplicité,
    Rien, ô ma pauvre enfant !
Et c'est avec un front éventé, dépité,
    Que vous fuyez devant.

Vos yeux qui ne devaient refléter que douceur,
    Pauvre cher bleu miroir,
Ont pris un ton de fiel, ô lamentable sœur,
    Qui nous fait mal à voir.

Et vous gesticulez avec vos petits bras
    Comme un héros méchant,
En poussant d'aigres cris poitrinaires, hélas !
    Vous qui n'étiez que chant !

Car vous avez eu peur de l'orage et du cœur
    Qui grondait et sifflait,
Et vous bêlâtres vers votre mère — ô douleur ! —
    Comme un triste agnelet.

Et vous n'aurez pas su la lumière et l'honneur
    D'un amour brave et fort,
Joyeux dans le malheur, grave dans le bonheur,
    Jeune jusqu'à la mort !

Londres, 2 avril 1873.

A POOR YOUNG SHEPHERD

J'ai peur d'un baiser
Comme d'une abeille.
Je souffre et je veille
Sans me reposer :
J'ai peur d'un baiser !

Pourtant j'aime Kate
Et ses yeux jolis.
Elle est délicate,
Aux longs traits pâlis.
Oh ! que j'aime Kate !

C'est Saint-Valentin !
Je dois et je n'ose
Lui dire au matin...
La terrible chose
Que Saint-Valentin !

Elle m'est promise,
Fort heureusement !
Mais quelle entreprise
Que d'être un amant
Près d'une promise !

J'ai peur d'un baiser
Comme d'une abeille.
Je souffre et je veille
Sans me reposer :
J'ai peur d'un baiser !

BEAMS

Elle voulut aller sur les flots de la mer,
Et comme un vent bénin soufflait une embellie,
Nous nous prêtâmes tous à sa belle folie,
Et nous voilà marchant par le chemin amer.

Le soleil luisait haut dans le ciel calme et lisse,
Et dans ses cheveux blonds c'étaient des rayons d'or,
Si bien que nous suivions son pas plus calme encor
Que le déroulement des vagues, ô délice !

Des oiseaux blancs volaient alentour mollement
Et des voiles au loin s'inclinaient toutes blanches.
Parfois de grands varechs filaient en longues branches
Nos pieds glissaient d'un pur et large mouvement.

Elle se retourna, doucement inquiète
De ne nous croire pas pleinement rassurés,
Mais nous voyant joyeux d'être ses préférés,
Elle reprit sa route et portait haut la tête.

Douvres-Ostende, à bord de la « Comtesse-de-Flandre »,
4 avril 1873.

DOSSIER

CHRONOLOGIE

1844 — *30 mars.* Paul-Marie Verlaine naît à Metz, 2, rue Haute-Pierre. Son père est capitaine adjudant-major au 2ᵉ régiment du génie.

1845-1849 — Séjours dans le Midi (Montpellier, Sète, Nîmes).

1851 — Démission du capitaine Verlaine. Les Verlaine habiteront désormais Paris, 10, rue Saint-Louis (aujourd'hui rue Nollet), aux Batignolles.

1853-1862 — Verlaine est interne à l'Institution Landry, rue Chaptal. Il suit, à partir de 1855, les cours du lycée Bonaparte (aujourd'hui Condorcet).

1854 — *20 octobre.* Naissance, à Charleville, de Jean-Arthur Rimbaud.

1858 — *12 décembre.* Verlaine, âgé de quatorze ans, envoie à Victor Hugo les premiers vers que nous connaissons de lui : *La Mort.*

1862 — *16 août.* Verlaine est reçu bachelier.
Été. Verlaine commence à boire. Il fait de nombreuses lectures (Baudelaire, *Gaspard de la Nuit*, Gautier, Glatigny).
Octobre. Le poète prend une inscription à la Faculté de droit en vue de l'examen d'entrée au ministère des Finances. Il hante les cafés de la rue Soufflot.

1863 — Verlaine rencontre Banville, Villiers de l'Isle-Adam, Chabrier, Coppée, Heredia, etc., chez la générale-marquise de Ricard, mère du poète Louis-Xavier de Ricard.

1864 — Le capitaine Verlaine fait entrer son fils comme employé à la compagnie d'assurances « L'Aigle et le Soleil réunis ». En mars, le poète est nommé expéditionnaire dans les bureaux de la Ville de Paris. A l'Hôtel de Ville, il se lie avec Léon Valade et Albert Mérat.

1865 — *Novembre-décembre.* Verlaine publie dans *L'Art* un important article sur Baudelaire.
30 décembre. Mort du capitaine Verlaine. (Le poète et sa mère iront alors habiter un logement modeste, 26, rue Lécluse.)

1866 — *28 avril.* Sept poèmes de Verlaine paraissent dans le *Parnasse contemporain.*
Novembre. Les *Poèmes saturniens* paraissent, à « compte d'auteur », chez Lemerre. Mallarmé, seul, est sensible à leur accent neuf.

1867 — *16 février.* Mort de la « cousine Élisa », que Verlaine aimait beaucoup.
Fin décembre. Poulet-Malassis, l'éditeur de Baudelaire, édite à Bruxelles, sous le manteau, *Les Amies, scènes d'amour sapphique,* signées Pablo de Herlañes, pseudonyme de Verlaine. Cette plaquette sera condamnée l'année suivante à être détruite par le tribunal de Lille.

1868 — Verlaine assiste aux soirées de Nina de Villard, où il rencontre des artistes et des hommes de lettres, en particulier le poète Charles Cros et ses frères.

1869 — *Avril.* Le poète travaille aux *Vaincus,* recueil d'inspiration socialiste qui ne verra jamais le jour.
Juin. Rencontre de Mathilde Mauté de Fleurville, dont Verlaine demande la main quelques jours après dans une étrange lettre écrite à Arras à la suite d'une orgie.
10 juillet. Fêtes galantes, chez Lemerre.

1870 — *12 juin.* Achevé d'imprimer de *La Bonne Chanson.*
19 juillet. Napoléon III déclare la guerre à la Prusse.
11 août. Mariage de Verlaine à la mairie de Montmartre et à Notre-Dame de Clignancourt.

1871 — *Fin août-début septembre.* Lettres de Rimbaud à Verlaine. Le 10 septembre, Rimbaud arrive chez les Mauté, beaux-parents du poète.
30 octobre. Naissance du fils du poète, Georges Verlaine. — Nombreuses scènes de Verlaine à sa femme.

1872 — *15 janvier (?).* Début de la procédure en séparation.
Mai. Verlaine rappelle Rimbaud, qui a quitté Paris le 15 mars.
7 juillet. Départ de Verlaine et Rimbaud pour Arras, d'où ils sont reconduits à Paris.
8 juillet. Départ pour Charleville et la Belgique.

21-22 juillet. A Bruxelles, Mathilde tente en vain de reconquérir Verlaine.

7 septembre. Verlaine et Rimbaud s'embarquent à Ostende pour Douvres, d'où ils gagnent Londres.

Fin novembre. Rimbaud quitte Londres, où il revient en janvier 1873 auprès de Verlaine, malade.

1873 — *4 avril.* Retour en Belgique, puis en France.

26 mai. D'Anvers, Verlaine et Rimbaud gagnent à nouveau Londres.

3 juillet. Après une violente scène, Verlaine quitte Rimbaud et rentre en Belgique. Il menace de se suicider, de s'engager. Le 5, la mère de Verlaine accourt à Bruxelles.

10 juillet. Rimbaud manifestant son intention de le quitter, Verlaine, ivre, tire, en présence de sa mère, deux coups de revolver sur son ami qui est légèrement blessé au poignet. — Le soir, sur un nouveau geste menaçant de Verlaine, Rimbaud se réfugie près d'un agent. — Verlaine est écroué à l'*Amigo*.

11 juillet. Verlaine est transféré à la prison des Petits-Carmes, où il écrira certains des plus beaux poèmes de *Sagesse* et *Crimen Amoris*.

20 juillet. Rimbaud, qui a renoncé à toute action judiciaire, rentre à Charleville, puis à Roche, où il terminera *Une saison en Enfer*.

8 août. Verlaine est condamné à deux ans de prison et 200 francs d'amende par le tribunal correctionnel de Bruxelles.

25 octobre. Verlaine est transféré à la prison de Mons. Il lit Shakespeare et se remet à l'étude de l'espagnol.

Novembre. En prison, Verlaine reçoit les premiers placards des *Romances sans paroles*, imprimées à Sens.

1874 — *Avril.* Verlaine écrit le célèbre *Art poétique*.

Début mai. Le directeur de la prison fait part au poète du jugement du tribunal de la Seine prononçant la séparation de corps entre Verlaine et sa femme et confiant à celle-ci la garde de l'enfant. Verlaine fait appeler l'aumônier et lui demande un catéchisme.

Juin. Après une nuit de méditation, le poète annonce sa conversion à l'aumônier. En août, il se confesse et communie. Il écrit la suite de sonnets de *Sagesse : Mon Dieu m'a dit...*

1875 — *16 janvier.* Verlaine sort de prison et est expulsé de Belgique.

Février. Infructueuse tentative de réconciliation avec Mathilde. — Brève retraite à la Trappe de Chimay. — Départ pour Stuttgart ; là, violente querelle avec Rimbaud.

20 mars. Verlaine arrive à Londres. Fin mars, il gagne Stickney, village du Lincolnshire, où il enseignera le français et le dessin à la *Grammar School.*

1876 — *Septembre.* Professeur au collège Saint-Aloysius, à Bournemouth, qu'il quitte en septembre 1877.

Octobre 1877-Juillet 1879 — Professeur à l'Institution Notre-Dame, à Rethel, où le poète se prendra d'une amitié passionnée pour son élève Lucien Létinois.

Fin août-fin décembre 1879 — Séjour en Angleterre avec Lucien Létinois.

Début mars 1880. Installation à la ferme de Juniville (au sud de Rethel), achetée 30 000 francs pour Lucien.

Automne 1880. Verlaine est surveillant général à Reims, où Létinois fait son service comme artilleur.

Début décembre 1880. Sagesse, daté de 1881, paraît, à « compte d'auteur », chez Palmé, directeur de la Société Générale de Librairie catholique.

Début 1882. Liquidation de la ferme de Juniville.

Été 1882. Retour de Verlaine à Paris, où il renoue avec la vie littéraire. En septembre, il s'installe à Boulogne, près de Lucien Létinois.

1883 — *7 avril.* Létinois meurt de la typhoïde à la Pitié. Verlaine habite chez sa mère rue de la Roquette.
Septembre. Verlaine et sa mère s'installent à la ferme Malval, à Coulommes, achetée aux parents Létinois.

1884 — *19 avril. Les Poètes maudits,* chez Vanier.

1885 — *Jadis et Naguère,* chez Vanier.
9 février. Jugement en divorce, condamnant Verlaine à verser une pension alimentaire de 1 200 francs.
11 février. Verlaine, ivre, tente d'étrangler sa mère.
8 mars. Vente de la maison de Coulommes.
24 mars. Le poète est condamné à un an de prison et 500 francs d'amende par le tribunal de Vouziers. — Il est relâché le 13 mai. — Vagabondages dans les Ardennes.
Début juin. Verlaine et sa mère, ruinés, s'installent dans un taudis, cour Saint-François, rue Moreau, à l'hôtel du Midi.
Novembre-décembre. Publication des premières biographies des *Hommes d'Aujourd'hui,* dont *Paul Verlaine* et *Leconte de Lisle.*

1886 — *21 janvier.* Mort de la mère du poète et maladie de celui-ci.

Février-mai. Liaison avec une prostituée, Marie Gambier.

22 juillet-2 septembre. Premier séjour de Verlaine dans un hôpital parisien (Tenon). C'est là le début d'une longue série.

Octobre. Publication de *Louise Leclercq*, nouvelle, suivie de *Le Poteau, Pierre Duchatelet* et *Madame Aubin.*

Novembre. Mémoires d'un Veuf. — Séjour à l'hôpital Broussais.

1887 — *Printemps.* Hôpital Cochin, puis Asile de Vincennes. — *Fin avril.* Verlaine commence *Bonheur.*

12 juillet-20 mars 1888. — Tenon, Asile de Vincennes, Broussais.

1888 — *7 janvier.* Un article de Jules Lemaître consacre la gloire de Verlaine, considéré un moment comme le chef de file des Décadents.

Mars. Début des « mercredis » de Verlaine à l'Hôtel Royer-Collard. Il y reçoit jusqu'à une quarantaine d'amis.

26 mars. Amour paraît chez Vanier.

1888-1889 — L'amitié de Verlaine pour le jeune peintre F.-A. Cazals devient de plus en plus passionnée. Elle restera toutefois platonique. — Nombreux séjours dans les hôpitaux.

1889 — *Juin. Parallèlement.*

1890 — *22 décembre. Dédicaces,* publié par souscription aux éditions de *La Plume.*

Fin 1890. Femmes paraît « sous le manteau » à Bruxelles.

1891 — *Fin avril ou début mai. Bonheur.*

Mai. Verlaine, déjà lié avec Philomène Boudin, rencontre Eugénie Krantz. Il se partagera désormais entre les deux « chères amies ».

20 juin. Choix de poésies, chez Fasquelle.

Novembre. Mise en vente de *Mes Hôpitaux.*

10 novembre. Mort de Rimbaud à l'hôpital de la Conception à Marseille.

26 décembre. Chansons pour Elle. — Enquête de Jules Huret sur le mouvement symboliste : Verlaine condamne le symbolisme.

1892 — *16 avril. Liturgies intimes.*

2-14 novembre. Conférences en Hollande.

1893 — *Février-mars.* Conférences en Belgique.

5 mai. Élégies. — Le 6 mai : *Odes en son honneur.*

3 juin. Mes Prisons.

4 août. Verlaine se présente à l'Académie française.

Début novembre. Conférences en Lorraine.

20 novembre-5 décembre. Conférences en Angleterre.

Décembre. Publication de *Quinze jours en Hollande*, à Paris et à La Haye.

1894 — *26 mai. Dans les limbes.*

Août. Verlaine élu Prince des Poètes à la mort de Leconte de Lisle. — Barrès et Montesquiou fondent un Comité pour venir en aide à Verlaine.

15 décembre. Épigrammes; le *22 :* nouvelle édition, très augmentée, de *Dédicaces.*

1895 — *Juin. Confessions.*

Fin septembre. Verlaine s'installe « en ménage » avec Eugénie Krantz, 39, rue Descartes. (C'est là qu'il mourra.)

Noël. Verlaine s'alite. (Maux d'estomac, rhume négligé.)

1896 — *7 janvier.* Verlaine fait appeler un prêtre de Saint-Étienne-du-Mont et se confesse.

8 janvier. Verlaine meurt à sept heures du soir d'une congestion pulmonaire.

10 janvier. Obsèques à Saint-Étienne-du-Mont. Inhumation au cimetière des Batignolles. Discours de Coppée, Barrès, Mallarmé, Moréas, Gustave Kahn.

POÈMES SATURNIENS

C'est un jeune homme de vingt-deux ans qui, au début de 1866, prépare un recueil qu'il songe d'abord à intituler Poèmes et Sonnets. *Devenu les* Poèmes saturniens, *l'ouvrage, publié à compte d'auteur (il en sera ainsi de tous les livres de Verlaine jusqu'à* Jadis et Naguère *compris) et tiré à 491 exemplaires, paraît chez Lemerre, qui fait déjà figure d'éditeur quasi officiel des parnassiens, un peu avant le 17 novembre 1866. Le mince volume passe inaperçu et, vingt ans plus tard, le modeste tirage ne sera pas encore épuisé. L'édition a été financée par la cousine de Verlaine, Elisa Moncomble, dont la mort prématurée affectera profondément le poète. Jamais il n'oubliera cette cousine tendrement aimée et sans nul doute admirative : on n'est pas pour autant convaincu par une thèse récente qui veut voir en elle l'inspiratrice de* Melancholia. *C'est bien de l'eau la plus profonde du songe qu'émerge la femme incertaine de* Mon rêve familier, *non de l'anecdote biographique.*

En fait, nous ne savons à peu près rien de la genèse des Poèmes saturniens. *On hésite, sauf pour quelques pièces peut-être, comme* Nocturne parisien, *à croire que la quasi-totalité de ces poèmes étaient écrits dès les années de lycée, certains dès la troisième, malgré le témoignage de Lepelletier et celui de Verlaine lui-même.* Monsieur Prudhomme *avait paru dès 1863 dans la* Revue du Progrès *de Louis-Xavier de Ricard ;* Dans les bois *et*

Nevermore *dans* L'Art *en 1865 ;* Nuit du Walpurgis classique *et* Grotesques *dans la* Revue du XIXe siècle ; *sept autres poèmes dans le* Parnasse contemporain. *Nous n'en savons guère plus.*

Il faut dissiper un malentendu. Malgré les jeux d'écriture du Prologue, *malgré l'*Épilogue, *malgré* César Borgia *ou* La Mort de Philippe II, *malgré certaines professions de foi de Verlaine lui-même, les* Poèmes saturniens *ne se rattachent nullement à l'art du Parnasse. Si, comme dans toute première œuvre, des influences sont ici et là reconnaissables, il convient de douter de celle de Leconte de Lisle : celui-ci est trop ouvertement pastiché pour n'être pas du même coup raillé en secret. Le ton d'un vers comme : « Est-elle en marbre, ou non, la Vénus de Milo ? » ne peut tromper. Et il faut croire, avec Octave Nadal, que quelque opportunisme littéraire a décidé de l'introduction dans les* Poèmes saturniens *de décalques parnassiens si résolument appuyés.*

Avouée, et déjà presque partout transmuée en un art proprement verlainien, est en revanche l'influence de Baudelaire. Dans un considérable article publié dans L'Art *en novembre et décembre 1865,* Verlaine, *en cernant la modernité de Baudelaire, tente d'approcher et de définir à partir d'elle sa propre poétique. La poésie y apparaît comme n'ayant « d'autre but qu'elle-même », « analogie et métaphore », « excitation à l'âme » indépendante de la passion, de « l'ivresse du cœur », de la vérité, de la raison, maîtrise et « impeccabilité de l'expression ». C'est vers la mélodie continue que, dès* Melancholia *et surtout les* Paysages tristes, *s'oriente l'art verlainien : ce souffle mélodique ne se découvre pas moins, dans* Soleils couchants, Crépuscule du soir mysti- que *ou* Promenade sentimentale, *à partir des modèles baudelairiens de composition harmonique à quoi Verlaine va bientôt renoncer tout à fait, mais qui restent encore lisibles ici.*

Recueil disparate, où, en particulier, des poèmes comme Monsieur Prudhomme, Jésuitisme *ou* Une grande dame *peuvent surprendre. Il n'est pourtant que de les rapprocher d'autres pièces (non recueillies) de ces mêmes* années, et singulièrement de l'Enterrement. *L'intention satirique, ici, n'est pas douteuse. Elle s'exprime avec violence.* Mais cette fureur irrécusable use des formes mortes dans quoi se coulent à l'aise les récitations d'un Coppée ou d'un Mérat. C'est qu'il s'agit précisément de dénoncer à la fois ces formes exsangues et les conventions hypocrites qu'elles reflètent, l'imbécile satisfaction d'une société vivant de simulacres. Rimbaud s'en souviendra.

Page 33.   *Les sages d'autrefois...*

Verlaine s'est certainement souvenu de Baudelaire, qui, dans son *Épigraphe pour un livre condamné (Parnasse contemporain,* 1866*),* qualifie *Les Fleurs du Mal* de « livre saturnien, orgiaque et mélancolique ».

Page 35.   PROLOGUE

On peut penser, avec Octave Nadal (*Paul Verlaine,* Mercure de France, 1961), que Rimbaud se souviendra très précisément de ce *Prologue* dans ce Credo qu'est *Soleil et Chair* et surtout dans ses lettres à Georges Izambard et à Paul Demeny du 13 et du 15 mai 1871 (lettre dite « du Voyant »), où il démarque le vers : *L'Action qu'autrefois réglait le chant des lyres :* « En Grèce, ai-je dit, vers et lyres rythment l'action. » Refaisant l'historique de la poésie antique jusqu'à nos jours, Rimbaud, comme l'avait fait Verlaine, n'omet pas de citer Théroldus, « articulation entre le monde latin et le monde moderne ». Verlaine, lui, part évidemment des vers de Baudelaire dans *Le Reniement de saint Pierre :*

Certes, je sortirai, quant à moi, satisfait D'un monde où l'action n'est pas la sœur du rêve.

Page 38.   MELANCHOLIA

Le dédicataire, Ernest Boutier, poète et violoniste amateur, avait introduit Verlaine chez l'éditeur Lemerre. — Le titre de ce cycle est peut-être inspiré par le célèbre

Melancholia d'Albert Dürer, dont Verlaine possédait une eau-forte.

Page 40.   APRÈS TROIS ANS

Suivant J.-H. Bornecque, partisan résolu de la critique biographique (édition critique des *Poèmes saturniens*, Nizet, 1952), le petit jardin serait celui de Lécluse, vu en 1862 et retrouvé en 1865. La cousine Elisa avait épousé en 1861 un M. Dujardin, propriétaire d'une sucrerie à Lécluse (Pas-de-Calais). Elle mourut en 1867. C'est elle que J.-H. Bornecque a voulu reconnaître dans la « sœur aînée » de *Vœu*, dans la femme aimée de *Nevermore*. Velléda, on le sait, prophétesse et patriote germaine, du temps de Vespasien, a inspiré à Chateaubriand un épisode célèbre des *Martyrs*. Rien n'indique qu'il se trouvât dans le jardin de Lécluse une reproduction de la *Velléda* de Maindron au Luxembourg (1839), longtemps populaire.

Page 41.   VŒU

Variante du vers 3 dans le *Choix de poésies* publié en 1891 par Verlaine lui-même :
Et puis, parmi l'odeur des corps jeunes et *clairs,*

Page 45.   L'ANGOISSE

Cette angoisse ne peut se réduire à un thème littéraire, et l'on ne saurait la prendre à la légère. On la retrouve, pareillement *dite*, décrite, dans, par exemple, *Dans les bois*, et, modulée cette fois, accédant à la création poétique, dans la plupart des pièces de *Melancholia* et des *Paysages tristes*. C'est elle qui s'exprime dès la pièce liminaire. On ne peut douter, à cette époque, d'un véritable affolement panique de Verlaine devant lui-même. Cet effroi ne sera pas étranger à la tentative de fixation — ou d'exorcisme — dont témoigne *La Bonne Chanson*. Mais non plus peut-être à la volonté proclamée au temps des *Poèmes saturniens*, et si contraire au génie verlainien, d' « impassibilité ».

Page 46. CROQUIS PARISIEN

Dans le manuscrit, Verlaine a biffé cette strophe supplémentaire, après la seconde :

> *Le long des maisons, escarpe et putain*
> *Se coulaient sans bruit,*
> *Guettant le joueur au pas argentin*
> *Et l'adolescent qui mord à tout fruit.*

Page 50. EFFET DE NUIT

Verlaine admirait le *Gaspard de la Nuit* d'Aloysius Bertrand. On peut penser qu'il s'en est souvenu ici.

Avant la troisième édition (1894), le vers 12 se lisait :

Qui vont pieds nus, *deux cent vingt-cinq* pertuisaniers.

PAYSAGES TRISTES

Page 56. NUIT DU WALPURGIS CLASSIQUE

C'est la source même d'où sortiront les *Fêtes galantes*, et Watteau est lui-même très précisément évoqué à la strophe VI.

Page 60. LE ROSSIGNOL

Verlaine reprendra le thème du rossignol (qui, « voix de notre désespoir », traverse aussi les *Fêtes galantes*) dans la dernière ariette des *Romances sans paroles*, mais pour ne plus s'attacher qu'à la seule ligne mélodique. Ici, comme dans presque toutes les pièces des *Paysages tristes* (sauf *Chanson d'automne*), il n'est pas délivré encore de la structure symphonique baudelairienne.

Page 61. CAPRICES

Le dédicataire de ce cycle, Henry Winter, est un poète obscur dont la signature apparaît dans le premier *Parnasse contemporain*.

Après la strophe IV venait celle-ci, non biffée sur le manuscrit :

> *Et nous parlons dans le style*
> *Qu'Eugène Scribe a trouvé,*
> *— Grand homme ! — et qu'encor distille*
> *Monsieur Ernest Legouvé.*

Lynce : il semble que Verlaine ait forgé ce mot en féminisant le mot *lynx*, et peut-être aussi en se souvenant du nom de Lyncée, pilote de la nef Argo, qui avait la vue perçante que l'on attribue au lynx.

Rimbaud s'est peut-être souvenu du second vers dans la troisième partie de *Roman :*

> *Sous l'ombre du faux col effrayant de son père...*

D'autre part, suivant Octave Nadal (*op. cit.*) : « *Jésuitisme* conduit de toute évidence au *Châtiment de Tartufe*, et *Monsieur Prudhomme* aux *Assis.* » Le critique lit dans ces pièces les modèles de cette imagination critique que sont les poèmes dans lesquels Rimbaud, *à la suite* de Verlaine, « attaque la société et la poésie de son temps ».

Verlaine, lycéen, lisait le Ramayana et le Mahabharata et aimait à se plonger dans la mythologie hindoue. L'intention humoristique de ce pastiche n'est guère récusable.

Titre vraisemblablement inspiré par une valse de Luigi Arditi (1860) alors très à la mode — Villiers de L'Isle-Adam y fait allusion dans une des *Histoires insolites : Le Sadisme anglais* — et qui fut un des grands succès d'Adelina Patti.

Cette pièce, qu'aima Jules de Goncourt, est, si l'on en croit Lepelletier, condisciple, puis ami et biographe de Verlaine, la plus ancienne de celles de ses œuvres d'adolescent que le poète conserva dans les *Poèmes saturniens*.

Dans toutes les éditions, le titre du poème appelle cette note de Verlaine : « L'auteur prévient que le rythme et le dessin de cette ritournelle sont empruntés à un poème faisant partie du recueil de M. J.-T. de Saint-Germain : *Les Roses de Noël (Mignon)*. Il a cru intéressant d'exploiter au profit d'un tout autre ordre d'idées une forme lyrique un peu naïve peut-être, mais assez harmonieuse toutefois dans sa maladresse même, et qui n'a point trop mal réussi, ce semble, à son inventeur, poète aimable. »

Voici la première strophe du « modèle » :

> *Quand Mignon passait, les folles abeilles*
> *Venaient effleurer ses lèvres vermeilles.*
> *Les épis de blé, les roses des bois*
> *Se penchaient aussi pour toucher ses doigts.*
> *Tout n'était qu'amour et que rêverie ;*
> *Dans son lit d'argent le ruisseau glissait*
> *Courant après elle, et le vent baisait*
> *L'herbe sous ses pieds à peine fléchie,*
> > *Quand Mignon passait.*

Dernier vers : *Élancée* hors d'un nœud de rubis qui s'allume.

La correction, demandée par Verlaine à l'éditeur Vanier dans une lettre de 1887 et dont nous tenons compte, n'a pas été faite. La première édition collective remplace *Élancée* par *S'élançant*.

Parodie intentionnelle ? Opportunisme littéraire ? Cet « art poétique » parnassien, on le voit, n'est nullement celui de Verlaine au moment des *Poèmes saturniens*, et le recueil, dans sa quasi-totalité, s'inscrit contre lui.

FÊTES GALANTES

Sur la genèse, la composition des Fêtes galantes, *nous n'en savons guère plus que sur celles des* Poèmes saturniens. *Les premiers poèmes du futur recueil à être publiés en revue y paraissent presque aussitôt après la sortie, chez Lemerre, des* Poèmes saturniens : La Gazette rimée *donne* Clair de lune *et, sous le titre caractéristique de* Trumeau, Mandoline, *dès le 20 février 1867.* Six Nouvelles Fêtes galantes *paraissent dans* L'Artiste *le 1er juillet 1868 :* A la promenade, Dans la grotte, Les Ingénus, À Clymène, En sourdine, Colloque sentimental. *En mars 1869, la même revue publie* Cortège *et* L'Amour par terre, *sous le titre :* Poésie. *À ce moment, l'ouvrage était déjà achevé d'imprimer (20 février 1869). Tiré à 350 exemplaires, il paraît chez Lemerre encore, et encore à compte d'auteur. Malgré un article élogieux de Banville dans* Le National *du 19 avril, un billet emphatique et vague de Hugo le 16, les* Fêtes galantes *passeront aussi inaperçues que les* Poèmes saturniens. *Un collégien les trouvera pourtant l'année suivante « adorables » : Rimbaud.*

On a trouvé à ces vingt-deux brefs poèmes des sources innombrables. Comme toutes les « sources », les plus probables sont accidentelles, insignifiantes ; elles ne sauraient rendre compte en tout cas de la vraie « source » de l'œuvre, de sa singularité, de son vertige. Ce paysage incertain, et lui-même comme en fuite, malgré les jets d'eau, les quinconces, les boulingrins, est et n'est pas dans Watteau, dans Lancret ou dans Fragonard : élu par l'âme en rêverie, il est son propre songe et son propre affleurement. Malgré la trompeuse localisation, paysage hors du temps et, à la fois, comme étendue à différents étages du temps et de l'espace, Octave Nadal l'a souligné, la « modernité » du motif, chère aux peintres impressionnistes, est comme secrètement présente sous ce XVIIIe siècle de fard et de rêve ; reflet, renvoi, allusion, ces déjeuners sur l'herbe, ces groupes joyeux ou libertins, ces couples qui tournoient et se défont, réfléchissent en démarrant d'elle une réalité innommée : bals de bord de Seine, feuillages des banlieues, guinguettes, canotiers.

À peine reconnu, ce réalisme sous-jacent, appris et loué dans le Coppée des Intimités, est frappé de la même irréalité qui frappe aussi les parcs, les pelouses, les marches, les allées, rêvés plutôt que découverts dans Watteau, dans Pater, dans Les Peintres des Fêtes galantes de Charles Blanc (1864), dans L'Art au XVIIIe siècle des Goncourt (publié en fascicules chez Dentu à partir de 1859) ou les Pièces choisies composées par A. Watteau et gravées par W. Marks (1850). La même dérive, le même affolement grandissant entraînent la foule hagarde ou sautillante des personnages de la Commedia dell'Arte, Pierrot, Cassandre, Arlequin, Colombine, qui ne doivent pas plus désormais aux Folies nouvelles de Banville, à Gautier, à Hugo, qu'aux Masques et Bouffons de Maurice Sand (1859) ou aux articles de la Revue des Deux Mondes de décembre 1859. À d'autres encore. À aucun.

Page 97.   CLAIR DE LUNE

Titre, dans La Gazette rimée du 20 février 1867 : Fêtes galantes, avec cette variante au vers 1 de la strophe III :
     Au calme clair de lune de Watteau
Bergamasques : comme le Shakespeare du Songe d'une nuit d'été, Verlaine applique le mot bergamasque à une personne. Suivant Littré (1863), il s'agit d'un « terme de musique, danse et air de danse au XVIIIe siècle (étym. :

171

Bergame) ». Mais *bergamasque* est normalement un adjectif qui signifie simplement : de Bergame. Verlaine emploie ce mot comme nom dans le sens de danseur ou de musicien, ou plutôt encore il en fait une sorte de synonyme de masque.

Page 98.   PANTOMIME

Premier titre, biffé : *En à-parte (sic).*

Page 99.   SUR L'HERBE

On a pu voir dans ce poème un souvenir de *L'Île enchantée* de Watteau, tableau évoqué par les Goncourt dans leur ouvrage sur *L'Art au XVIIIe siècle :* « Au bord d'une eau morte et rayonnante et se perdant sous les arbres transpercés d'un soleil couchant, des hommes et des femmes sont assis sur l'herbe. »

Variante, au vers 2 de la strophe III :

Ça, baisons nos bergères, l'une

Page 102.   DANS LA GROTTE

Premier titre, biffé sur le manuscrit : *À Clymène.*
Variante du manuscrit :

Str. I, vers 3-4 : Et *les* tigresses — *ô Clymène,* — d'Hyrcanie

Sont des agnelles *près* de vous.
Str. II, vers 1 : Oui, *sous vos yeux,* dure Clymène.
Str. III, vers 1 : *Mais même ai-je* besoin de lui.
Str. III, vers 3-4 : Amour perça-t-il pas *mon cœur...*
Du jour où vos yeux m'avaient (?) lui ?
Mon cœur, *quand vos yeux* m'eurent lui ?

Variante de l'éd. originale, str. I, vers 4 :

Est une agnelle *auprès* de vous.

Rimbaud cite le 3e vers de ce poème dans une lettre à Georges Izambard du 25 août 1870 : « J'ai les *Fêtes galantes* de Paul Verlaine ; [...] c'est fort bizarre, très drôle, mais vraiment c'est adorable. Parfois, de fortes licences, ainsi : *Et la tigresse épou-vantable d'Hyrcanie* est un vers de ce volume. » L'Hyrcanie, contrée de l'ancienne Perse, au sud et au sud-est de la mer Caspienne, que l'on appelait aussi mer Hyrcanienne, était célèbre par ses tigres et par la rudesse de ses habitants.

Page 103.   LES INGÉNUS

Variante du manuscrit, strophe II, vers 1 :
    Parfois aussi le *vol* d'un insecte jaloux

Page 105.   LES COQUILLAGES

Variante de l'éd. originale, strophe II, vers 3 :
    Quand je brûle et *quand* tu t'enflammes.

Hugo avait goûté ce poème, et particulièrement le dernier vers, lequel se souvient peut-être de Mallarmé :

    Avance le palais de cette étrange bouche
    Pâle et rose comme un coquillage marin.

(Une négresse par le démon secouée..., poème paru en 1866 dans le *Nouveau Parnasse satyrique.)*

Page 106.   EN PATINANT

Premiers titres biffés : *Les Quatre Saisons* et *Sur la glace.*

Principales variantes :

Str. X, vers 2 : Nous lancèrent leurs *senteurs* mûres,
Str. XI, vers 4 : Tant que *sévit* la canicule.
Str. XIII, vers 2 : Son séjour froid et ses *brises* rudes.

Page 109.   FANTOCHES

Premier titre : *Fantoccini.*

Page 113.   MANDOLINE

Titre dans *La Gazette rimée* du 20 février 1867 : *Trumeau.* Et cette variante, au vers 4 de la strophe II
    Cruelle *a* fait maint vers tendre.

Page 114.   À CLYMÈNE

Premiers titres, biffés : *Galimathias (sic) double* et *Chanson d'Amour.*

Variante, au vers 3 de la strophe V :

> *Conduit* mon cœur subtil.

Transposition précieuse des correspondances baudelairiennes. Le second vers sera le titre du quatrième recueil de Verlaine.

Page 115.   LETTRE

Pastiche évident de la poésie précieuse, où se mêlent les souvenirs de Théophile *(Les Désespoirs amoureux)* et de Gautier *(Perplexité).*
Variantes :

Vers 12 : Mon ombre se fondra pour jamais *dans ton ombre.*
Vers 13 : En attendant, je suis, *ma* chère, ton valet.

Page 117.   LES INDOLENTS

Variante, vers 1 de la strophe VI :

> Eurent l'*inexprimable* tort

Page 120.   L'AMOUR PAR TERRE

Variante, vers 4 de la strophe II :

> Se lit péniblement *grâce à* l'ombre d'un arbre.

Page 121.   EN SOURDINE

Principales variantes :

Str. V, vers 1 : Et lorsque *l'automnal* soir
Str. V, vers 3 : *Plainte* de *mon* désespoir,

Page 122.   COLLOQUE SENTIMENTAL

Variante du manuscrit, vers 2 du 5ᵉ distique :

> *Comme mon* cœur bat *à ton nom seul ?* — Non.

ROMANCES SANS PAROLES

La date de publication des Romances sans paroles *ne doit pas nous tromper. Si elles n'ont paru qu'en 1874, après le drame de Bruxelles, consommée la rupture avec Rimbaud, et Verlaine déjà en prison, près déjà de se convertir et de les renier à demi, elles ont été écrites tout entières du début de 1872 aux premiers mois de 1873, au cours de la sordide et illuminante aventure. « Lui étant là », dira Verlaine quand il voudra justifier aux yeux de Lepelletier la dédicace projetée à Rimbaud.*

Les Ariettes oubliées *sont la partie la plus ancienne du recueil. La première a paru le 18 mai 1872, la cinquième le 29 juin, dans* La Renaissance *littéraire et artistique, revue fondée en avril de la même année par Émile Blémont avec Jean Aicard, Pierre Elzéar et Léon Valade. Le choix même de cette revue n'est pas indifférent. Après la Commune, la rupture de Verlaine avec le Parnasse est totale. Sur le plan esthétique, il n'y avait jamais tenu sans doute que par un fil, mais des raisons politiques achèvent de dissiper l'ambiguïté. Littérairement et politiquement, France, Coppée, Leconte de Lisle sont du côté de l'ordre. Verlaine les vomit et se trouve à la fois rejeté par eux ; le groupe dont il se rapproche, celui des Zutistes, des Vilains Bonshommes, s'il est, pour Rimbaud, trop timide, trop conventionnel encore, n'en représente pas moins des tendances plus neuves ou plus corrosives.*

Verlaine envoie la seconde ariette *à Blémont dans une*

lettre du 22 septembre 1872 ; la troisième a peut-être été écrite à Londres en octobre et rappelle un passage d'une lettre de la même époque ; la sixième est probablement cette Nuit falote *dont le poète parle pour la première fois à Lepelletier dans une lettre de décembre 1872 et dont le titre se fût peut-être appliqué à toute une partie de l'ouvrage ; l'allusion de la septième est assez claire, et elle est d'évidence postérieure à la fuite de juillet ; quant à la huitième, il se peut que ce soit là la plus ancienne et qu'il faille y voir le souvenir d'une longue marche dans la neige faite à Paliseul en décembre 1871. Si la neuvième et dernière porte la date de mai-juin 1872, on voit que cette date ne saurait donc s'appliquer au cycle entier.*

La nostalgie de Mathilde, la peur et le regret de l'avoir perdue à jamais, qui ne cesseront plus de hanter Verlaine, se font jour en lui dès le moment qu'il la quitte en effet, comme si, au plus fort de sa passion pour Rimbaud, il se tournait encore vers elle, il la suppliait en secret de l'aider à ne pas faire naufrage. Si la poétique des Ariettes *réduit à rien toute référence à la réalité accidentelle des faits, ce mouvement n'en est pas moins presque partout saisissable en elles. Le Verlaine qui écrit les plus neufs de ses poèmes est celui aussi qui, seul à Paris de la mi-janvier à la mi-mars 1872, crie à Mathilde, dans des lettres perdues, de lui revenir. Nulles pièces plus caractéristiques à ce sujet que la seconde et la quatrième ariette. Il ne s'agit là nullement d'élégies, certes. Mais on ne peut refuser de reconnaître ce balancement effaré entre « l'aurore future » de l'amour rimbaldien et l'autre « cher amour qui s'épeure » ; en ces « âmes sœurs » de la pièce IV, celles de Mathilde et du poète et, avec la nostalgie d'un pardon impossible, la nostalgie des « chastes charmilles » de* La Bonne Chanson.

Poèmes du départ et de la marche, les Paysans belges *échappent presque totalement à cette intrusion de la nostalgie qui envahira de nouveau* Birds in the night *et* Aquarelles. *Tous les six sans doute ont été écrits au cours des semaines de vagabondage en Belgique et durant le séjour de Verlaine et de Rimbaud à Bruxelles (17 juillet-7 septembre 1872). Ils en jalonnent exactement les étapes : Walcourt, Charleroi, Bruxelles, visite au champ de foire de Saint-Gilles, excursion à Malines ; et l'on peut penser que la date assignée à* Walcourt *par l'édition originale était en effet la bonne : juillet 1872, et non 1873. De ces poèmes, aucun ne parut en revue.*

Leur souci de modernité est évident. Mais il s'agit de bien autre chose que de ce « réalisme » que, à l'époque des Fêtes galantes, *en 1867-68, Verlaine avait loué chez Coppée et qu'il avait alors tenté un instant d'intégrer à son art propre. Ce style neuf de la description naît en effet dans le moment même où s'opère en peinture la révolution impressionniste (1870-1874). C'est en 1873 que Manet, rencontré par Verlaine chez Nina de Callias, peint* Le Chemin de fer, La Partie de croquet, Sur la plage ; *en 1874, et auprès même de Monet, le couple de canotiers sur la barque d'*Argenteuil. *D'autre part, Rimbaud et Verlaine ont posé en janvier 1872 pour le célèbre* Coin de table *de Fantin-Latour ; leurs rencontres avec le peintre, avec Forain, furent un moment quotidiennes. Verlaine s'est montré toujours très attentif à l'art des peintres ; il a, à l'époque des* Fêtes galantes, *longtemps rêvé sur les œuvres de Watteau, de Lancret ; il s'éprendra de Téniers ; à Londres, avec Rimbaud, il s'immobilisera devant les toiles des musées. Ainsi, on ne peut douter que Verlaine ait été, en 1872-73, préoccupé par les recherches impressionnistes. Ses lettres de Londres à Blémont, à Lepelletier, le montrent soucieux de « recueillir des impressions », affirment sa volonté d'une « poétique de plus en plus moderniste », et il prend alors des notes pour de futurs* Croquis londoniens. Docks, gares, ponts sur la Tamise, *l'analogie entre ses recherches propres et celles de la jeune peinture ne peut guère, semble-t-il, être récusée.*

En revanche, le lien de Birds in the night *avec l'événement vécu est évident. C'est d'une conclusion amère à* La Bonne Chanson *qu'il s'agit. Et nous savons, par une lettre à Blémont du 5 octobre 1872, que, avant d'emprunter le titre de son poème à une berceuse de Sullivan, Verlaine songeait à l'intituler* La Mauvaise Chanson. *Le poème ne comprenait alors que les trois*

177

premières parties. Le thème est celui-là même de la correspondance du poète à ce moment : « *c'est moi le quitté* » *; et les quatre premiers douzains ont été certainement écrits à Bruxelles et à Londres en septembre 1872. Pour Verlaine, alors,* La Mauvaise Chanson *s'arrêtait là. Mais le souvenir des brefs instants de volupté goûtés à l'Hôtel Liégeois, à Bruxelles, avec Mathilde accourue pour tenter de le reprendre — et lui-même avait d'abord consenti à la suivre —, revient hanter le poète, exilé à Londres avec son* « *compagnon d'enfer* »*, et lui dicte, un peu plus tard, le cinquième et le sixième douzain ; le poème, auquel vient s'ajouter un dernier douzain, n'est achevé qu'en octobre. Conçues séparément, les différentes parties en avaient été initialement numérotées.*

Peut-être, bien que Verlaine eût écrit à Blémont en octobre 1872 que son prochain recueil ne contiendrait finalement rien de ses impressions anglaises, Green, Spleen *et* Streets I *s'ajoutaient-ils, en décembre 1872 encore, à* Birds in the night. *Désespoirs qui renaissent, c'est bien la même nostalgie en effet qui les habite, comme aussi* Child Wife, *poème écrit le 3 avril 1873, au moment où Verlaine s'apprêtait à regagner la Belgique, à tenter de nouvelles démarches pour se réconcilier avec sa femme.*

Il y a dans Aquarelles, *dont tous les poèmes sauf le dernier ont été écrits en Angleterre, les souvenirs les plus précis de Londres.* Streets I *fut composé à Hibernia Store, au coin d'Old Compton Street et de Greek Street ; et à ce carrefour, ou peut-être dans ce bar même où son ami Vermersch, l'ancien Communard, faisait ses conférences, le poète a en effet vu danser la gigue. On reconnaît dans* Streets II *cet endroit où, à Maida Hill, quartier de petites maisons d'un jaune noirci, le Regent's canal, débouchant du souterrain qui passe au-dessous de Maida Vale, ne longe plus qu'un seul mur et apparaît soudain* « *fantastiquement* » *dans la rue. Le point de départ de* A poor young shepherd *paraît bien être ce poème sur la Saint-Valentin publié dans le numéro de février du* Gentleman's Magazine : « *Que dois-je envoyer à ma bien-aimée ? Je vais lui envoyer un baiser.* »

Chansons ténues, A poor young shepherd, Streets I, *et chansons à peine murmurées toutes les* Ariettes oubliées. *On a beaucoup parlé à ce propos de l'influence de Rimbaud. On a rappelé son goût pour ce qu'il appelait les « refrains niais », pour les ariettes de Favart, qu'il fit connaître à Verlaine, pour les rythmes impairs de Marceline Desbordes-Valmore, que les deux poètes lurent ensemble à Londres. Mais une influence n'est jamais peut-être unilatérale, et, ce souffle ailé, c'était celui déjà de la* Chanson d'automne, *dans les* Poèmes saturniens. *Le titre même des* Romances sans paroles *n'a pas, certes, été choisi sans dessein; emprunté à Mendelssohn, il l'est aussi à un vers d'*A Clymène, *dans les* Fêtes galantes.

Ce titre est arrêté dès le 24 septembre 1872, mais non encore l'organisation du recueil : le cycle prévu, De Charleroi *à* Londres, *ne comprendra finalement que les* Paysages belges. *La « dizaine de poèmes » de* La Mauvaise Chanson *se bornera à* Birds in the night. *Le 5 octobre, les impressions d'Angleterre sont écartées. L'œuvre, d'environ 400 vers, que Verlaine s'apprête, en décembre 1872, à faire éditer à Londres sur les presses de* L'Avenir *de Vermersch, ne comprend pas encore* Aquarelles *(dont trois pièces semblent toujours faire partie de* Birds in the night*) mais retient cet autre cycle, dont nous savons si peu :* Nuit falote — *« xviii*[e] *siècle populaire », dit alors le poète. Le recueil ne prend ainsi sa forme définitive qu'au printemps de 1873. De février à avril, Verlaine songe à différents éditeurs. C'est le 19 mai seulement qu'il envoie le manuscrit à Lepelletier. Celui-ci en surveille l'impression, qui se fait à Sens, sur les presses du* Peuple souverain, *feuille politique interdite à Paris. Verlaine est en prison quand il reçoit les premiers placards (novembre 1873), puis les premiers exemplaires (27 mars 1874). La plaquette, au tirage limité, et qui ne sera pas seulement mise en vente, passe inaperçue.*

ARIETTES OUBLIÉES

Page 125. I. *C'est l'extase langoureuse...*

L'épigraphe est tirée de *Ninette à la Cour, ou le*

179

Caprice amoureux, comédie en deux actes mêlée d'ariettes, ouvrage de Favart que possédait Verlaine.

Premier titre, dans *La Renaissance littéraire et artistique* du 18 mai 1872 : *Romances sans paroles*, avec ces variantes :

Str. II, vers 5 : *Cela fait*, sous l'eau qui vire
Str. III, vers 6 : *Dans* ce tiède soir, tout bas ?

Variante du manuscrit :

Str. II, vers 2 : Cela *murmure* et susurre

Page 126. II. *Je devine, à travers un murmure...*

Premier titre : *Escarpolette* (1872). Et ces variantes :

Str. I, vers 4 : *J'entrevois une aurore future*

        Cher amour, une aurore future

Str. III, vers 1 : Où tremblote *au milieu du* jour trouble

Page 127. III. *Il pleure dans mon cœur...*

L'épigraphe ne se trouve nulle part dans l'œuvre de Rimbaud.

Au vers 2 de la strophe II, le poète, avant de choisir *s'écœure*, a d'abord hésité, sur le manuscrit, entre *s'effrite, s'ignore* et *s'ennuie*. En outre, il a barré une répétition de cette strophe qui venait après la strophe III.

Page 128.   IV. *Il faut, voyez-vous,*
        nous pardonner les choses...

Allusion précise à la réconciliation attendue avec Mathilde dans les premiers mois de 1872. — L'épigraphe (supprimée en 1887) est tirée du premier vers du poème *Lassitude* dans les *Poèmes saturniens*.

Page 129. V. *Le piano que baise une main frêle...*

Premier titre, dans *La Renaissance littéraire et artistique* du 29 juin 1872 : *Ariette.*

Cette main au piano est celle de la belle-mère du poète.

Mme Mauté de Fleurville, excellente musicienne, élève de Chopin, et qui donnera un jour des leçons de piano à Claude Debussy enfant. C'est elle qui, en 1873, fera se présenter Debussy au concours d'entrée au Conservatoire. Verlaine, quant à lui, un poème des dernières années en témoigne encore, lui gardera toujours une affection respectueuse. Le boudoir peut de même être identifié à celui de la rue Nicolet, où habitaient les Mauté. La maison était séparée de la chaussée par ce petit jardin dont parle le dernier vers.

Page 130. VI. *C'est le chien de Jean de Nivelle...*

Verlaine animera encore dans *Images d'un sou (Jadis et Naguère)* les personnages de ces chansons populaires dont Rimbaud lui a peut-être, avec celui des ariettes de Favart, donné le goût.

On aura, au vers 2 de la strophe VI, reconnu un emprunt à l'*Épigramme* de Trissotin dans *Les Femmes savantes.*

Page 132. VII. *Ô triste, triste était mon âme...*

Le point de départ de ce poème est évidemment la fuite loin de Mathilde en juillet 1872.

PAYSAGES BELGES

Page 136. WALCOURT

Poème daté, sans doute avec raison : *Juillet 1872* dans l'édition originale, *juillet 1873* dans les suivantes. C'est le 9 juillet 1872, à trois heures du matin, que Verlaine et Rimbaud avaient gagné en carriole la frontière belge, depuis Charleville. De là, ils se rendirent à pied à Bruxelles par Walcourt et Charleroi. Walcourt est une petite ville industrielle de la province de Namur, sur l'Eau-d'Heure.

Page 137. CHARLEROI

Kobold a donné gobelin, dans le sens de lutin, mauvais esprit. L'étymologie en est grecque (χοβαλός)

Page 139.   BRUXELLES, SIMPLES FRESQUES

La première pièce, en 1872 (lettre à Blémont), était précédée de la mention suivante : « Près de la ville de Bruxelles en Brabant. *Complainte d'Isaac Laquedem.* » (C'est le nom donné en Flandre au Juif errant, dont les pérégrinations font l'objet d'une complainte longtemps fameuse : on y voit, dans un couplet, le Juif errant accosté par les bourgeois de « Bruxelles en Brabant ».)

Royer-Collard, auquel fait allusion la strophe II de la seconde pièce, est un philosophe spiritualiste et un orateur politique français (1763-1845). Chef des doctrinaires sous la Restauration, il fut président de la Chambre des députés et membre de l'Académie française. C'est à ce dernier titre qu'il fit à Vigny, lors de la visite académique de celui-ci, un accueil glacial que Verlaine se plaisait à rappeler. Pour Verlaine, les « Royers-Collards » personnifiaient les ennemis de la poésie, les solennels et les pontifes.

Page 141.   BRUXELLES. CHEVAUX DE BOIS

Verlaine et Rimbaud avaient en effet visité ensemble le champ de foire de Saint-Gilles-lez-Bruxelles, gros faubourg industriel de Bruxelles, célèbre pour son très beau parc. Ce poème sera repris dans *Sagesse.*

Page 144.   BIRDS IN THE NIGHT

Le titre signifie : Oiseaux dans la nuit.
Principales variantes :

Str. VIII, vers 1-3 :

Oui, je souffrirai comme un bon soldat
Blessé, qui s'en va *mourir dans la nuit*
Du champ de bataille où s'endort tout bruit. (manuscrit)

Dernier vers : Un poil de sa chair, un *œil* de sa face ! (1ʳᵉ édition, 1874).

Que ce « cycle » est bien tout entier hanté par Mathilde serait, s'il en était besoin, attesté de surcroît par les deux épigraphes de la première édition : « Elle est si jeune ! » *(Les Liaisons dangereuses),* allusion au troisième vers,

puis un quatrain de la pièce III de *La Bonne Chanson :*
« En robe grise et verte, avec des ruches... »
D'autre part :

Page 145. Je vous vois encor. J'entr'ouvris la porte...

Souvenir très précis du revoir à l'Hôtel Liégeois, qui
eut lieu le 22 juillet 1872. Après avoir prévenu Verlaine
de son arrivée, Mathilde, qui venait de découvrir les
lettres de Rimbaud dans des papiers que lui réclamait son
mari, était partie pour Bruxelles avec sa mère le 21 juillet,
dans l'espoir de reconquérir le poète.

Page 146. Je vous vois encore ! En robe d'été...

Après l'entrevue et, apparemment, la fête sensuelle à
l'Hôtel Liégeois. Verlaine avait accepté de réfléchir
jusqu'au soir. Ce douzain évoque ce soir du 22 juillet où
Verlaine rejoignit sa femme dans un jardin public, près
de la gare du Midi. Il prit alors en effet le train avec sa
femme et sa belle-mère, mais les quitta brusquement à la
gare-frontière de Quiévrain. Aussitôt après, il écrivait à
Mathilde : « Misérable fée Carotte, princesse Souris...,
vous m'avez fait tout, vous avez peut-être tué le cœur de
mon ami ; je rejoins Rimbaud, s'il veut encore de moi... »
On retrouve dans le poème la même rancœur, la même
mauvaise foi exaspérée.

AQUARELLES

Page 148.   GREEN

Variante de l'édition originale :

Entre vos jeunes seins...

Page 151.   STREETS. II

Sur la précise localisation de cette pièce, cf. la notice.

Page 152.   CHILD WIFE

Le titre (c'est-à-dire : Femme enfant) est emprunté au
David Copperfield de Dickens. Cette invective s'adresse,
comme *Birds in the night,* à Mathilde.

Page 153.   A POOR YOUNG SHEPHERD

Le titre signifie : Un pauvre jeune berger.

La Saint-Valentin, le 14 février, est la fête des amoureux. C'est la coutume, en Angleterre, d'envoyer alors une carte, une lettre ou un petit cadeau — parfois facétieux ou incongru — à sa (ou ses) *girl-friend*.

Page 154.   BEAMS

Le titre signifie : Rayons (de soleil).

Le dernier vers se lisait d'abord : Elle reprit sa route *en portant* haut *sa* tête.

De Newhaven, où la nouvelle que les anciens Communards étaient toujours poursuivis les avait inquiétés, Verlaine et Rimbaud avaient gagné Douvres, où ils s'embarquèrent pour Ostende à bord de la *Comtesse de Flandre*. La surréalité émerveillée de ce poème transfigure le souvenir d'une traversée qui fut, suivant Verlaine, « inouïe de beauté ».

BIBLIOGRAPHIE SOMMAIRE

ÉDITIONS CRITIQUES

Œuvres poétiques complètes, édition de Jacques Borel, « Bibliothèque de la Pléiade », 1962.
Œuvres en prose complètes, édition de Jacques Borel, « Bibliothèque de la Pléiade », 1972.

ÉTUDES

A. Adam : *Verlaine*, Hatier, nouvelle édition, 1961.
J.-H. Bornecque : *Verlaine par lui-même*, coll. « Écrivains de toujours », Seuil, 1966.
— *Les Poèmes saturniens de P. Verlaine*, Nizet, 1952.
— *Lumières sur les Fêtes galantes*, Nizet, 1959.
O. Nadal : *Paul Verlaine*, Mercure de France, 1961.
P. Petitfils : *Verlaine* (1981), Julliard, 1994.
J.-P. Richard : *Poésie et Profondeur*, Seuil, 1955.
J. Richer : *Paul Verlaine*, coll. « Poètes d'aujourd'hui », Seghers, 1953.
J.-P. Weber : *Genèse de l'œuvre poétique*, Gallimard, 1960.
E.M. Zimmermann : *Magies de Verlaine*, José Corti, 1967.

FÊTES GALANTES

ROMANCES SANS PAROLES

ARIETTES OUBLIÉES

DOSSIER

Ce volume,
le quatre-vingt-treizième de la collection Poésie,
a été achevé d'imprimer sur les presses
de l'imprimerie Bussière à Saint-Amand (Cher),
le 20 décembre 2004.
Dépôt légal : décembre 2004.
1er dépôt légal dans la collection : avril 1973.
Numéro d'imprimeur : 45548.

ISBN 2-07-032053-7./Imprimé en France.

133900